广告设计

（第二版）

主编　徐文汉

河海大學出版社
HOHAI UNIVERSITY PRESS
·南京·

内容提要

广告设计是广告设计专业、商业美术专业、视觉传达设计专业、平面设计专业的专业课程。本书包括广告概论、广告种类与广告媒体、广告策略与广告定位、广告创意与广告表现形式、广告设计原理、招贴广告设计、报纸广告设计、POP广告设计、户外广告设计、其他广告媒体介绍等十章内容。

本书可作为广告专业、商业美术专业、视觉传达设计专业、平面设计专业学生的教材以及从事平面设计工作人员的参考用书。

图书在版编目（CIP）数据

广告设计 / 徐文汉主编. --2版.-- 南京：河海大学出版社，2024.4

ISBN 978-7-5630-8928-4

Ⅰ.①广… Ⅱ.①徐… Ⅲ.①广告设计 Ⅳ.①F713.81

中国国家版本馆CIP数据核字(2024)第071099号

书　　名　广告设计（第二版）
　　　　　GUANGGAO SHEJI (DI–ER BAN)
书　　号　978-7-5630-8928-4
责任编辑　成　微
特约校对　徐梅芝
封面设计　尤岛设计
出版发行　河海大学出版社
地　　址　南京市西康路1号（邮编：210098）
电　　话　（025）83737852（总编室）（025）83722833（营销部）
网　　址　http://www.hhup.com
印　　刷　北京俊林印刷有限公司
开　　本　880毫米×1 230毫米　1/16
印　　张　15.25
字　　数　309千字
版　　次　2024年4月第2版
印　　次　2024年4月第1次印刷
定　　价　79.00元

《广告设计（第二版）》编委会

主　编　徐文汉
副主编　吴倍贝　廖　宸　谭　勇

前 言

当今社会发展已进入了信息时代，各种形式的广告设计和运用各种科技手段与传播理念的现代广告已融入我们的生活。广告已经成为人们社会生活中不可缺少的一个事物。无论是在繁华的大都市，还是在偏远的乡村，人们的日常生活都离不开各种各样的广告信息。不管是打开电视机、收音机，还是翻阅各种报纸、杂志或是乘坐飞机、高铁、汽车、轮船等交通工具，还是去商场、超市、专卖店等购物场所，都有广告信息的时刻伴随，令人目不暇接。每到夜晚，都市的霓虹灯广告扮靓了整个城市，人们徜徉其中，在休闲和购物中也获取着各种各样的广告信息。广告像一条无形的纽带，把世界各地的品牌信息、企业信息、商业信息、商品信息、市场信息与消费者联结在一起。形式多样的广告创意和广告设计表现有力地冲击着人们的视觉、听觉，直达人们的心灵深处。

党的二十大报告明确提出“我们要坚持以推动高质量发展为主题”，从顶层高度设计了我国未来发展的主题主线，指明了以高质量发展推进中国式现代化的目标方向。网络时代更使广告无处不在。智能移动终端的触媒体使人们自由地、随时随地获取大量的广告信息，并且使消费形式也变得更加便捷。网络在促进社会经济发展、扩展品牌信息的传播、加快商品生产流通和促进消费便捷的同时，也促进了广告的飞速发展。通过网络，人们即可实现信息数据共享、资源各取所需。广告的传播形态和传播方式也发生了深刻变化，从传统媒体、新媒体到社交媒体和自媒体的发展历程，消费者已不仅仅是广告信息的接收者，亦成为广告活动的参与者和广告信息的发布者。自媒体的自发传播，也使消费者或称生活者的信息汇入海量广告信息的信息流之中。反过来，企业或广告商依靠互联网大数据和智能化，更好地实现了广告按目标、按区域、按时段、按需要、按消费者爱好等精准投放和服务消费者。广告从大众传播发展到分众传播，又细化到针对目标受众的精准传播。

在“互联网+”的新时代，中国经济进一步发展，广告也在传播内容、传播形式和传播理念上，在社会生活、经济发展、文化交融等各个领域，进一步影响和改变着我们的时代风尚、价值观念和生活方式。广告不仅创造了品牌形象、传播了商品信息、促进了商品销售、繁荣了社会经济发展，同时也传播了和平包容、传承创造、欢乐健康、节能环保、绿色共享、可持续发展等时代精神和价值理念。

由于写作时间和作者水平有限，对于本书中存在的不足，恳请读者批评指正。此外，编者还为广大一线教师提供了服务于本教材的教学资源库，有需要者可致电13716022670。

编 者

CONTENTS

目 录

CONTENTS

Pimples

HOLLYWOOD
SOUVENIRS
MOVIE POSTERS
CELEBRITY PHOTOGRAPHS

PART 1

第1章

广告概论

第一节 广告的概念

现代广告的广义概念：广告是为了促进社会经济发展、促进商品流通、促进大众消费的一种信息传播工具和手段。具体讲，广告包括经济广告与非经济广告。非经济广告又称为非盈利广告或公益广告（图1.1.1）。狭义广告特指经济广告，又称商业广告，它所传播的是有关促进品牌的树立或促进商品销售的经济信息（图1.1.2、图1.1.3）。尽管广告内容包罗万象，表现手法多种多样，但其目的都是为了促进经济发展、树立企业品牌、促进商品销售。所有的广告都是通过一定的媒介形式，向受众传播一种特定的信息，这种信息是以营销目标为目的并以艺术的手法传播给消费者的，所以“信息传播”是所有广告形式共有的一个本质特征。其次，广告不仅是传播商品信息、树立品牌、促进商品销售、实现利润增长的营销手段，同时广告传播的内容、广告表达的理念以及表现的艺术形式，又潜移默化地影响着人们的社会生活。与其他类型的传播活动相比，广告传播更渗透到社会生活的各个方面。广告是一种集说服性、诱导性、艺术性与科学性等特征于一体的大众信息传播活动。

图1.1.1 招贴（一）

图1.1.2 招贴（二）

图1.1.3 招贴（三）

一、广告定义

广告广义上可解释为“广而告之”。而实际上广告包含了丰富的含义，世界各国对广告的定义也不尽相同，《辞海》的解释是：“向公众介绍商品，报道服务内容或文娱节目等的一种宣传方式。一般通过报刊、电台、电视台、招贴、电影、幻灯、橱窗布置、商品陈列等形式来进行”。《韦氏国际大辞典》则解释为“广告是任何形式之公告，其目的在于直接或间接帮助销售商品，帮助传播主义、学说或观念，或帮助引起公众的注意以参加集会等”。国际广告协会阐述广告为“广告是由特定的赞助者，以付费及非个人化的方式，公开介绍所提供的生产、服务或主张”。《当代广告学》对广告的定义为：“广告是由可识别的出资人通过各种媒介进行的有关产品（商品、服务或观念）的，有偿的、有组织的、综合的、劝服性的非人员的信息传播活动”。《中华人民共和国广告法》将广告定义为：“商品经营者或者服务提供者通过一定媒介和形式直接或者间接地介绍自己所推销的商品或者服务的商业广告活动”。从广告的定义还可以看出，广告的活动还包含以下一些特点：

（1）广告活动的主体是广告的发布者，即广告主及其代理者（广告公司）。

（2）广告活动的对象是消费者、目标受众、公众或可称为“生活者”的大众。

（3）广告活动的内容是广告所传播的信息，包括有计划地传播商品信息、服务信息、思想观念或是广告发布者想要传达的其他信息。

（4）广告通过各种媒体并运用一定的策略进行传播。

（5）广告活动的目的是通过精心的策划，有计划、有目的地为企业树立品牌、占领市场、促进商品销售，为获取更大利润而服务。

（6）广告需积极承担社会责任，通过大众传媒传递信息要依法而行，既要考虑促进商品销售的市场效益和经济效益，同时更要考虑到广告对消费者利益和公共的社会效益的影响，不能发布违背社会价值观和虚假违法的广告。广告的公益性正体现在宣传社会道德、传播正确的价值观、崇尚民族文化、引导消费倾向、共享现代文明和可持续发展生活理念上。

二、广告要素

广告是一种信息传播活动，以信息传播理论为出发点，广告的构成要素主要包括：广告信源、广告信息、广告媒介、广告信宿等。以整体广告活动为出发点，广告的构成要素主要包括：广告主、广告经营者（广告人）、广告发布者（广告媒介）、广告的目标受众（消费者）等。其中广告主、广告经营者、广告发布者是广告运作的主体。

（一）广告主

广告主是指广告活动的发起人、广告信息的发布者、广告活动的法律责任承担者。广告主可以是企业、社会组织、政府部门，也可以是个人或其他社会成员。广告主是广告活动的主体。

（二）广告信息

广告信息是广告活动的主要内容，一般指商品、价格、服务、劳务等经济信息和某种观念信息。商品信息主要包括商品的性能、质量、用途、价格以及何时出售，在何地可以购买等信息；劳务信息主要是指广告发布人可向社会或个人提供的各种服务性信息，它包括为生产服务的信息和为生活服务的信息；观念信息主要是指广告主通过某种广告形式使消费者树立一种有利于广告主推销商品或劳务的消费观念，使公众树立一种高尚的道德观念或者使公众增加知识的信息。总体来讲，也就是让消费者或公众树立一种有利于广告主并按照其意愿产生某种行为的观念，是具有强烈的引导消费、树立品牌、促进商品销售的作用的信息。

（三）广告媒体

广告媒体又称广告媒介，它是广告信息的载体，是广告主与消费者信息传播的桥梁。广告媒体是广告信息传播的工具或平台，如电视、广播、报纸、杂志、互联网、户外设施、环境设施等。包括平面的、立体的、空间的、音响的、光电的、影像的、静态的、动态的等广告发布的媒介。

（四）广告受众

广告受众（也称消费者或生活者）就是广告信息的接受者，是指广告的服务对象，主要包括消费者或经销商或代销单位，及其他用户和个人。广告的全部意义就是要运用不同的方法和手段让受众接受广告所要传达的信息。

（五）广告预算

广告预算是广告活动费用的支出预算，从广告策划、广告设计、广告材料、广告媒体发布到进行广告宣传，整个广告活动所支付的费用，称为广告预算。其中包括广告调研费、广告设计费、广告制作费、广告媒体费、广告机构办公费与人员工资费用等。

（六）广告经营者

广告经营者（也称广告人）是广告活动的执行者、服务者，受广告主的委托进行整体的广告活动，包括市场开发、树立品牌、品牌策划、市场调研、广告策划、CIS（Corporate Identity System）设计、包装设计、广告设计、广告设计制作等，全面、系统、有计划地完成整体广告活动。广告公司主要由市场开发部、客户公关部、设计创意部、媒体部、美工制作部等组成。

三、广告功能

（一）广告具有的信息传递功能

广告最基本的职能是传递信息。在当今的信息社会，信息和媒介的发展使得社会生活联系得更加紧密，信息成为最重要的资源，传播和获取信息成为各行业发展的关键。广告通过互联网络、电视、广播、报纸、杂志等媒介传播了海量信息。互联网络下的社交媒体平台和自媒体扩展了广告信息传播的形态，广告信息覆盖面更加广阔，消费者随时随地都能找到自己需要购买的商品信息和接受服务的内容。广告构成了生产者、经营者、消费者之间信息传播最迅速、最有效的链条。

（二）广告具有引导消费、创造新需求的功能

品牌和产品推广最有效的方法就是广告传播。通过广告宣传，消费者能获取新产品的各种信息，包括新产品新的功能、新的特点等，起到引导消费的作用。企业通过广告不断向消费者提供新产品信息，同时又得到消费者对新产品的反馈信息，进一步改进产品、创新产品，创造出更适合消费者需求的产品。广告还起到了扩展市场、创造新需求的作用。广告不仅仅传播、介绍了各种商品的信息和知识，还引导消费者进行正确的判断、选择，合理地认识新产品、接受新产品。可见，广告在引导消费、创造新需求方面发挥着积极的作用。

（三）广告具有占领市场，开拓潜在市场并扩大销售的功能

新产品要想打开市场，传统产品要想保住市场，都离不开广告的投入。广告具有占领市场、扩大产品销售的巨大作用。新产品问世，若想打开市场，只有通过广告的手段，才能使产品最终占领市场。既要占领现有市场，同时还要不断地开拓潜在市场，扩大自身商品的销售空间，这也是现代企业家追求的市场目标。通过有计划地进行广告传播、介绍，使消费者对新产品在功能、材料、款式等方面的优势有了全面的了解和认识，这样新产品一经投放市场，就会获得更高的市场份额。对于老品牌，要想在商品竞争中不断巩固已经拥有的市场地位、让消费者记得使用商品的美好回忆，从而扩大商品的销售，广告的投入也是必不可少的。

（四）广告具有创造新品牌和增加品牌价值的功能

企业最重要的和最成功的标志，就是创造出自己的品牌。新品牌的创建离不开广告的功能，广告所具有的传播功效对新品牌的树立起到至关重要的作用，新品牌从默默无闻到誉满天下，都是恰到好处地运用了广告的功能。同时，通过对品牌广告的长期投入，新品牌逐渐成长为著名品牌，这就是广告所具有的创造新品牌和增加品牌价值的功能。中国的“海尔”“华为”“格力”等品牌，都走过这样的从创造品牌、增加品牌价值到成长为世界著名品牌的道路。“百度”“阿里巴巴”等世界著名互联网公司更是利用互联网和新媒体平台创造了品牌价值的神话。广告为企业创造新品牌和增加品牌价值带来了巨大的利益。

（五）广告具有树立企业形象和提升企业美誉度的功能

广告的长期投入对树立企业形象和提升企业美誉度有着重要作用。但树立企业形象的关键还是取决于企业的经营理念、管理理念、发展理念等核心内容是否具有社会认可性和企业的独特性。良好的企业形象来自自身和社会公众对企业的评价和认可。企业形象的好坏也直接影响到企业的美誉度。因此，企业的广告对传播企业理念和品牌、提高企业的美誉度和塑造企业形象具有重要作用。科技的发展使产品越来越同质化，消费者购买产品常常是凭着对企业的美誉度和良好形象的印象来决定的。因此，品牌形象和美誉度是企业的宝贵财富。

（六）广告还兼具美化城市的功能

广告除上面讲述的功能外，还美化了城市的环境。漫步都市随处可见创意新颖、造型独特的户外空间广告、丰富多彩的橱窗广告、流动的车体广告、水面上的船体广告、城市大型LED屏幕广告、五光十色的霓虹灯广告、形式多样的招牌广告、PVC灯箱广告、形形色色的店面广告、超市的POP广告、造型新颖的充气广告、环境创意广告、商品模型广告、招贴广告等等，琳琅满目、美不胜收。随着科技的进步和发展，广告表现的新材料不断丰富，新的设计理念、新的创意广告都在城市美化方面起到了不可忽视的作用。

四、广告设计是多学科知识的综合

现代广告设计需要运用多学科综合知识，其中包括社会学、市场学、商品学、营销学、传播学、品牌学等知识。广告设计更需要创意学、美学、心理学、美术学、构成学、视觉设计、VI设计、字体设计、版式设计等理论知识和专业设计知识。整体的广告传播活动是动态的、多维度的整合传播活动。广告活动是从确立广告计划开始，进行市场信息的收集、消费者信息调查、同类品牌和产品的市场调查、市场调查结果的统计与分析，提出广告目标和广告策略，制定广告策划和广告媒体方案，提出广告创意，广告设计与广告制作，最后进行广告效果测定等一系列动态的广告活动。这些都需要交叉学科知识的支撑。

优秀的广告设计都是商品性和艺术感染力的完美结合，是广告内容和表达形式的完美统一。广告设计在表现形式上包括平面的、立体的、空间的、静态的、动态的、影视的和网络的、声光电综合构成的等形式。设计流程上包括创意、构思，广告文案、广告图形创意、图表设计、色彩、插图、摄影，字体、版式、编排结构设计以及印刷工艺、广告制作等流程。优秀的广告设计既树立了品牌和传播了商品的信息，又通过艺术的构思和艺术的表达带给人们艺术的享受和对品牌与商品的喜爱。

第二节 广告发展简史

一、中国广告发展简史

中国有着5000多年的文明史。考证中国广告历史的发展，最早出现的广告萌芽可以追溯到大约3000多年前，《周记》载：当时凡做交易都要“告子士”。殷周时代有个叫格伯的人售马给棚先，交易以铭文的形式刻于青铜器上。这种在殷墟中出土的铭文可被视为最早的广告形式。《诗经·周颂·有瞽》一章有“箫管备举”的诗句，据汉代郑玄注：“箫，编小竹管，如今卖饧者吹也。”唐代孔颖达也疏解说：“其时卖饧之人，吹箫以自表也。”可见西周时，卖糖食的小贩就已经懂得以吹箫管之声招徕生意。

古代主要是叫卖广告、声响广告、实物广告。《战国策·燕二》记载:“人有卖骏马者,比三旦立市,人莫之知。往见伯乐曰:臣有骏马,欲卖之,比三旦立于市,人莫与言。愿子还而视之,去而顾之,臣请献一朝之贾。伯乐乃还而视之,去而顾之,一旦而马价十倍”。这可能是最早记述的名人增值效应。《韩非子·外储说》写到:“宋人有酤酒者,升概甚平,遇客甚谨,为酒甚美,悬帜甚高”。这是我国酒家和酒旗最早的记录。酒肆开设在街市,为了招揽顾客,悬挂一面酒旗,这也是吸引顾客的广告形式。这种形式后来沿用不断,如唐代诗人张籍有“高高酒旗悬江口”,杜牧有“水村山郭酒旗风”等诗句。

在北宋张择端《清明上河图》中可以看到当时社会发展的景象,市井繁华、酒肆和店铺悬挂各种灯笼广告、幌子广告、悬物广告、招牌广告等。据《费长房》中说“市有老翁卖药,悬一壶于肆头”,就是用葫芦作为药铺的象征性标志,悬挂于街头或药铺门前(图1.2.1)。这里的“悬旗”“悬壶”给人以非常醒目的视觉效果(图1.2.2、图1.2.3),用现代话说,就是“招牌广告”(图1.2.4)。

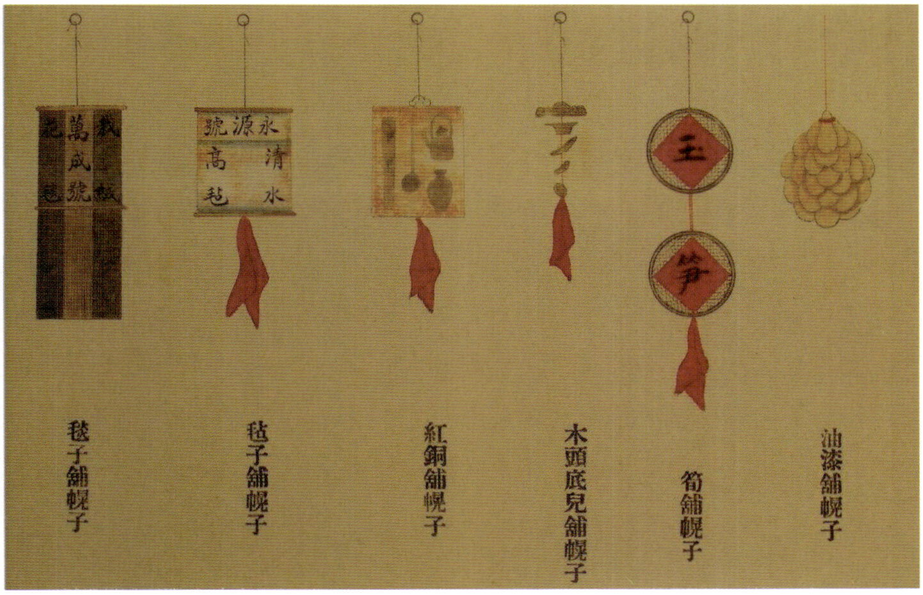

图 1.2.1　古代广告形式(一)

图 1.2.2　古代广告形式(二)

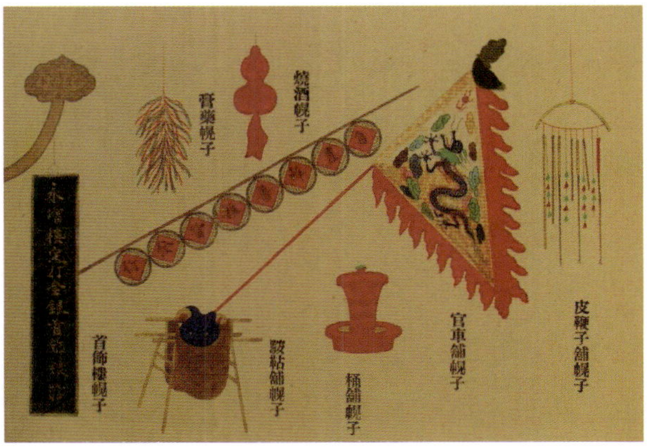

图 1.2.3　古代广告形式(三)

图1.2.4　传统广告形式

中国最早发明了印刷术，对传播文明作出了极大贡献，唐朝初期时就有了雕版印经和各种典籍的印制，除了寺院印经外，也出现了民间的印刷坊，这也促进了印刷的发展。北宋时期就出现了现存最早的印有“济南刘家功夫针铺”文字和图案的广告单，它比英国第一张推销图书的英文印刷广告早400年左右。元明时期，雕版印刷业得到发展，印刷广告不断增加，到清代，木版年画甚为流行。1923年中国第一座广播电台在上海开播，广播广告开始出现。霓虹灯广告在20世纪三四十年代的上海相当普遍，交通广告也得到迅速的发展，橱窗广告受到市民的欢迎。

1979年《天津日报》第一次出现“蓝天牙膏”广告;《文汇报》第一次印制外商“雷达表”广告；上海电视台第一次播出“参桂补酒”电视广告；中央电视台播出“西铁城”广告。改革开放后，中国经济得到了快速发展，同时广告业也得到了飞速发展。1979年中国广告营业额总量为1000万元，1980年即突破亿元，之后多年以40%的幅度增长。2016年中国广告经营额较上一年增长了8.63%,达到了6489.13亿元，占GDP总量的0.87%。同时，中国广告理论与实践研究也得到了深入的发展。

今天，中国经济已成为世界经济发展的新引擎，中国制造、中国设计、中国创造、中国品牌、中国商品已进入世界市场，华为、海尔、吉利、联想、格力、阿里巴巴等已成为世界著名品牌，“一带一路”的畅想，人类命运共同体理念，让世界共同繁荣、共同发展。随着中国影响力的提升，更多的中国智慧、中国方案、中国声音、中国故事也将越来越多地和世界交流，广告也必将发挥更大的作用和改变我们的生活。

二、近现代西方广告发展简史

随着19世纪末西方近现代工业社会的发展，商品经济得到了繁荣和发展。广告逐渐成为促进商品经济发展的一种手段。这一时期，广告设计主要是招贴广告与招牌广告。当时著名的画家，如英国画家比亚兹莱、法国画家劳特雷克等都做过广告设计，他们对早期的广告招贴设计创作做出了重要贡献。

法国是现代商业广告的发源地。最早设计广告的是朱尔斯·谢雷特（1836—1932）（图1.2.5、图1.2.6），他在1866年将色彩石版技术运用到广告印刷上，使其风行一时，他也被称为现代“广告之父”。在巴黎他自己的印刷厂里，他制作了首张彩色的平面招贴广告，之后创作出1000多幅招贴广告。他还荣获首届国际招贴展览金奖。由于商业活动的原因，当时广告主要集中在巴黎和伦敦。其后，欧洲其他各国也开始盛行招贴广告，并出现了不少杰出的招贴广告设计家。

图1.2.5　招贴（朱尔斯·谢雷特）（一）

图1.2.6　招贴（朱尔斯·谢雷特）（二）

科学技术的发展，对广告设计理念和表现方法也产生了很大影响。无线电的发明、电影的出现，使媒体传播出现了一系列新的广告形式，大大促进了商品经济和广告的发展。商品广告被企业视为非常重要的竞争手段。为了扩大影响，各国政府也把广告当作重要的宣传工具，因而使广告也具有了很高的社会意义和价值。

现代美术运动的兴起，也极大地影响了广告设计的表现形式，丰富和改变了20世纪图形语言和视觉传播方式，推动了广告设计艺术的发展。特别是德国建筑学家瓦尔特·格罗佩斯创立的包豪斯学校，对促进现代建筑设计、工业设计、商业设计以及广告设计的发展都具有重要意义。包豪斯提出“艺术与技术新的统一、设计的目的是服务于人”的设计理念，不仅推动了艺术设计教育的发展，也促进了广告设计的发展。包豪斯在设计史上写下了光辉的一页，它倡导了艺术与科学技术结合的新精神，创立了工业化时代艺术设计教育的基本原则和方法，发展了现代设计的新风格，对现代设计的发展具有重要的启示作用，是现代设计发展的摇篮，是现代艺术史上的一个重要里程碑。包豪斯提出了如下现代设计艺术思想（重视功能、技术、经济因素）:（1）艺术与技术的统一。（2）设计的目的是功能，而不是产品；（3）设计必须遵循自然与客观法则进行。包豪斯对设计教育的影响：（1）包豪斯建立了一整套的设计艺术教学方法和教学体系，认清“技术知识”可以传授，而“创作能力”只能启发的事实，给后来的工业设计科学体系的建立和发展奠定了基础；（2）包豪斯从事的设计实践真正实现了技术与艺术的统一，形成了真正的理性主义设计原则，填补了现代艺术与技术、手工业与工业间的鸿沟；（3）包豪斯设计教育造就了德国的设计风格：高度的理性化和严谨的功能化。（图1.2.7）

图1.2.7　招贴（包豪斯，1923年）（三）

西方国家在20世纪30年代后期，随着世界性经济危机的过去，各国商品经济开始回升与发展，广告设计得到了更进一步的发展，一些高档的消费品广告在整个广告中占有很大的比例。随着商品经济的恢复和繁荣，旅游业和电影业也得到很快的发展，旅游广告和电影广告在商业广告中也已占有一定的比重。（图1.2.8）

图1.2.8　招贴（1930年）（四）

二次世界大战以后，世界广告艺术进入了科学发展时期。广告开始高度注重商业效果，以商业市场研究和分析的理论方法进行广告设计。同时形成了专业化的广告人才队伍，在广告设计中融进了更多的、新的商业广告理念，发展出更多的商业广告表现形式。20世纪50年代后期摄影技术的兴起推动了商业摄影的快速发展，使商业摄影成为重要的、受人欢迎的广告表现形式。

美国作为世界上的经济和广告大国，广告业一直发展很快。其市场上品牌和产品竞争激烈，促进了广告理论与广告设计上的研究和发展。在美国，广告在市场实践中发挥了积极作用，广告教育受到重视，许多大学都开设了广告课程，提出了许多现代广告的理论，对现代广告发展产生了一定影响。

日本经济在20世纪50—60年代得到快速发展，为广告发展创造了良好的客观环境。广告设计吸收了欧美设计理念，促进了日本广告设计的发展。在广告创作方法上注重艺术与商业效果，充分发挥广告的诉求力量。报纸、杂志和新闻媒体广告迅速发展。20世纪70年代，日本在企业形象战略（CIS）和广告策划上也有新的发展。

PART 2

第 2 章

广告种类与广告媒体

广告的分类方式有多种。根据不同的广告目的可以将广告划分为政治、经济、文化、社会公益等几个方面。也可以从广告内容、广告目的、广告时间段、广告的表现形式等方面进行分类。

第一节 广告种类

一、按照广告目的划分

按照目的不同，广告可以划分为政府公告、商业广告、文化广告、社会公益广告等。

（一）政府公告

政府公告指政府部门对社会发布的公告，也具有广告宣传的作用。例如：公安、交通、法院、财政、税务、工商、卫生等部门发布的公告性信息。它具有行政权威性。如重大的政治活动、精神文明建设、经济建设、城市建设、环境建设、文化建设宣传等。（图 2.1.1 至图 2.1.4）

图2.1.1 政府公告（一）

图2.1.2 政府公告（二）

图2.1.3 政府公告（三）

图2.1.4　政府公告（四）

（二）商业广告

商业广告是最重要的广告种类，商业广告以树立品牌或推销商品为目的，向消费者提供品牌和商品信息。其目的是为了提高商品或企业品牌的知名度，以达到销售产品的目的。（图2.1.5）

（三）文化广告

文化广告是以满足人们精神生活需要为主要目的的一种广告，包括科技发明、教育培训、电影动漫、文化娱乐、网络游戏、艺术展览、体育文艺、音乐美术、新闻出版、旅游休闲、博览会展、电视广播等文化信息方面的广告。（图2.1.6）

图2.1.5　商业广告

图2.1.6　文化广告

（四）社会公益广告

社会公益广告是指政府机构、企事业单位、社会团体、民间协会或公益慈善组织不以营利为目的，利用媒体为社会提供的宣传广告。如爱国诚信、遵纪守法、弘扬道德、慈善扶贫、保护环境、志愿帮扶、世界和平、交流融合、非遗继承等主题的广告。（图2.1.7、图2.1.8）

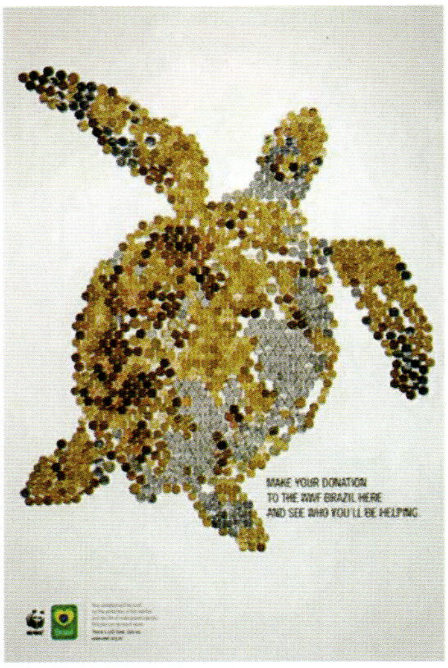

图2.1.7　公益广告（一）

图2.1.8　公益广告（二）

二、按照广告阶段性划分

（一）始创式广告

广告目的在于向市场开辟某一类新产品销路的广告。

（二）竞争广告

竞争广告又称比较式广告，是通过将自己的商品与其他商品作比较，从而显出自己的商品的优点，使消费者选择性认购的广告。

（三）提示广告

提示广告又称提醒广告、备忘式广告，是指在商品销售达到一定阶段之后，经常提示商品以促进销售的广告。

三、按其他方式分类

按广告诉求分类，可分为理性诉求广告和感性诉求广告；按广告产生效果的快慢分类，可分为时效性广告和迟效性广告；按广告目标对象分类，可分为有无差别市场广告、针对目标市场广告和细分市场广告；按广告传播时间要求分类，可分为时机性广告、长期性广告、中期性广告和短期性广告等。

第二节 广告媒体

广告媒体是广告信息传达的载体。广告和媒体相互依存。广告媒体可以分成很多类。根据受众规模的不同，把传统媒体分为大众传播媒体和小众传播媒体两大类。随着科学技术的进步，新媒体已成为广告传播信息的重要力量。

一、广告媒体的分类

在广告信息传播中，不同的广告媒体具有不同类别的传播信息，如平面媒体广告、空间媒体广告、时间媒体广告、综合媒体广告等。这些广告媒体在传播范围、传播时间、传播地点、传播目的、传播手段、目标受众对象以及所能运用的表现形式上都是不同的。人们通常把电视、广播、报纸、杂志称为传统的四大媒体。新兴媒体有网络媒体、短信、彩信、E-mail、微信等网络数字媒体等。不同媒体的广告包括以下几类。

（一）印刷类广告

印刷类广告主要有报纸广告、杂志广告、招贴广告、传单广告、产品目录广告等。

（二）电子类广告

电子类广告主要有广播广告、电视广告、网络广告、手机广告、电子显示屏幕广告、霓虹灯广告等。

（三）立体空间类广告

主要包括展示广告、橱窗广告、墙面广告、路牌广告、彩旗广告、卡通式广告、巨型商品广告、POP广告等。

除以上广告媒体外，还利用其他媒介形式进行广告传播，如挂历广告、台历广告、电话黄页广告、纪念品和礼品广告、办公用品广告、赠品广告、门票广告、年鉴广告、城市卡广告、旅游广告等。

二、不同广告媒体的特点

（一）平面广告

平面广告是广告中最常见、最常用的表现形式，平面广告多以平面印刷形式表现，如招贴广告、邮递广告、报纸广告、杂志广告、传单广告、宣传册广告等。平面广告具有传播形式最为便捷、信息量最为广泛、设计方法最为丰富等特点，是消费者获取广告信息的主要媒介形式。

（1）报纸广告是指通过报纸快速、有效、灵活地传播信息的广告。报纸广告具有迅速见效、广泛告知、醒目突出、价格低廉、有备可查等优点。

（2）杂志广告是指利用杂志的封面、封底、插页、内页登载的广告。杂志广告可以反复阅读，随时提醒人们查询某项信息，可以对广告内容做较为深入细致的介绍，同时配以彩色插图，能再现原稿的效果。

（3）直邮广告（也称DM广告）是将载有产品、服务信息的印刷品，直接邮寄给选定的对象的一种广告形式。直邮广告包括信件、商品目录、产品说明书、企业刊物、明信片等多种形式。其最大的特点是具有极强的针对性、阅读性与灵活性。

（二）户外广告

户外广告是指在露天或公共场所的广告。户外广告能达到比较长期地推销商品的目的，能够很好地树立和强化品牌形象，让目标受众感受到品牌的实力。户外广告形式丰富，主要有平面路牌广告、墙面广告、旗帜广告、招贴广告、条幅广告、霓虹灯广告等。

立体广告是户外广告中常用的表现形式，如展示广告、路牌广告、车体广告、站亭广告、橱窗广告、楼面墙体广告等，立体广告在创意上也常常与平面广告结合表现。立体广告更接近消费者，其广告传播效应更震撼、更具有吸引力和视觉冲击力。如商品形象充气广告、放大包装实物广告等。立体广告具有面积大、形象生动、视觉冲击强烈等特点。

（三）POP广告

POP广告（Point of Purchase Advertising）意为“销售点广告”。在商业空间、购买场所、零售商店的周围以及在商品陈设的地方所设置的广告都属于POP广告。POP广告设计表现形式非常丰富，有平面印刷的、立体的、悬挂的、动态的、音响的等。创意上有夸张突出商品造型的，有运用商品强烈色彩和美丽图案的，有运用联想、幽默、诙谐故事表现的。生动的POP广告能吸引消费者注意并引发消费者喜爱而购买商品。也有人将POP广告称为“默默的推销员”。

（四）电视广告

电视广告是指通过视听形象来传播信息的广告。电视广告因为具有画面、广告词、音乐、音响、情节等五个要素，同时也具有视听兼备、覆盖面大、收视率高，并集知识性、故事性和趣味性为一体的特点，因此成为传播效果最佳的媒体广告形式。

（五）广播广告

广播广告是利用广播的形式传播商品、服务或企业信息的广告。广播广告具有传播速度快、传播范围广、传播及时、不受时间限制、制作较简便、费用较低的特点。由于广播节目几乎是全天播出，所以传播的信息容量相对较大，尤其是专题节目中面对特定消费层的广告更有针对性，它会使广告直接深入到接受消费和服务的听众当中。

（六）新媒体广告

新媒体广告是通过网络平台投放广告，利用网站上的广告横幅、文本链接、多媒体、社交平台、自媒体发布的广告。网络广告是一种新的广告方式。网络广告有以下特点：

（1）信息数字化。网络广告采用数字化传播信息技术，通过电脑显示屏和手机等移动显示终端收看。这种数字化平台的广告信息形式丰富，容量巨大，表现力强。网络广告也充分吸收电视、报刊等广告的艺术形式，增加网络广告的传播性，比如电子报刊、电子杂志、网上电视、网上广播、网上直播等。

（2）信息实时交互性。网络社交媒体平台和自媒体是实时交互的传播方式。公众可以在网上自主地选择广告内容，广告信息可以根据用户需要实时地变动，广告传播者与受众随时沟通，可以随时接收和反馈信息，公众既是信息的接收者，同时也是信息的发布者，形成即时的信息沟通。

（3）传播对象广。互联网可以说是无界限的，只要有移动接收终端，信息就可以无限通联，打破了其他媒体所受到的限制。例如，报纸受发行区域限制、广播电视受频道覆盖范围限制等。而贯通全球的国际互联网，在任何一个网站上的广告都能被全球每个角落的网民所浏览，如此，网站信息和设计是否引人关注、网民是否点击你的网站就成为广告传播的决定因素。

（4）网络平台使广告与营销一体化。运用网络广告的链接功能可以将广告和销售连接成一体，消费者通过直接点击并浏览感兴趣的广告，即可进入购买页面，填写订单、签定合同、网上支付，完成消费行为。这也是其他广告形式所不能做到的独特之处。

PART 3

第3章

广告策略与广告定位

广告策略是实现广告战略目标而采取的对策、方法和手段，是保证实现广告目标的一种思想谋略。广告策略是将产品和服务所具有的消费者利益，以有效的方法与步骤传达给目标市场，以达到树立品牌和促进销售的最高指导原则。广告策略也是整合营销传播的重要组成部分，是整合营销传播成功的关键。消费者可以通过不同的媒介、不同的来源、不同的形式获得信息。广告策略必须对各种传播媒介进行整合运用，形成“一种声音，一个面目”才能获得消费者最大程度的认知。

信息传播的特点之一，是图像和声音传播更为迅捷。受众越来越多地通过电视、广播、网络获取所需要的信息。广告策略是使消费者在大量的广告信息面前，对品牌和商品形成清晰、准确、全面的印象，消费者如何得到这种印象是广告研究的重点。

广告策略的核心就是使消费者对品牌、商品产生信任，并要不断延伸这种信任。与消费者建立良好的信任关系，使其长久存在于消费者心中，形成对品牌的忠诚度和美誉度。

现代广告策略包括广告产品策略、广告市场策略，广告媒体策略、广告实施策略等。

第一节 广告策略

广告策略建立在企业销售策略之下，配合销售策略，将产品与企业形象和品牌做正确的整合。通过广告策略对目标市场做有效的广告信息传播。广告策略应该包含有非常清楚的描述与认知的企业销售策略、有效的市场定位策略、有效的传播策略，广告策略在传播广告信息上必须非常清晰。

一、广告策略包含的基本内容

实施广告策略就要解决好广告策略提出的基本问题。广告策略包含的基本内容可以用英文字母缩写“5W2H”来阐述。

（1）Why to say 为什么说：广告目的。

（2）How much to say 说多少：广告预算。

（3）Whom to say 说给谁：目标受众。

（4）What to say 说什么：产品品质、品牌特性、利益点、品牌价值。

（5）How to say 如何说：创意表现策略。

（6）When & Where to say 什么时间与地点说：媒体策略。

二、广告策略谋划

广告策略谋划对实施广告策略具有重要意义。广告策略谋划包含以下内容。

（一）广告的诉求点策略

广告诉求点策略就是确立广告诉求内容。根据广告诉求点策略来决定是做企业形象的广告，还是做产品形象的广告；是侧重于传递产品信息、提供服务信息的广告，还是侧重于吸引消费者情感、激发需求的广告。

（二）广告的手法策略

广告的手法策略是确定展开正面竞争的广告策略，还是展开侧面竞争的广告策略；是直言表达的理性诉求的广告策略，还是运用感性诉求的广告策略。

（三）广告的目标策略

广告的目标策略是确定以提高品牌和商品知名度为主的广告策略，还是以有奖或直接促销为主的广告策略。

三、广告策略类型

广告策略大致来说可以分为：

（1）生活信息广告策略。（图3.1.1）

（2）树立品牌形象广告策略。（图3.1.2）

图3.1.1　招贴（一）

图3.1.2　招贴（二）

（3）象征广告策略。（图3.1.3）

（4）承诺或保证性广告策略。（图3.1.4）

（5）证言广告策略。（图3.1.5）

图3.1.3　招贴（三）

图3.1.4　招贴（四）

图3.1.5　招贴（五）

（6）比较性广告策略。（图3.1.6）

（7）人性化广告策略。（图3.1.7）

（8）悬念广告策略。（图3.1.8）

图3.1.6　车体广告

图3.1.7　招贴（六）

图3.1.8　招贴（七）

（9）正直诚信广告策略。（图3.1.9）

广告策略策划必须围绕广告目标进行，不同的广告目标需要不同的广告策略，对广告策略的选择并没有一定的规则。广告策略是实践性和创造性的结合。

图3.1.9　招贴（八）

四、广告策略方式

广告策略方式包括广告媒体方式和非广告媒体方式。

（1）广告媒体方式，包括选择不同的媒体，实施广告媒体整合的策略。媒体策略方式是非常重要的广告策略方式。广告媒体策略主要包含两方面的内容：媒介选择策略和媒介发布策略。广告信息传播离不开媒体，不同的媒体针对不同的广告人群，要根据广告目标，有目的地进行媒体选择，最大程度地发挥广告媒体的功效。

（2）非广告媒体方式，主要包括品牌或新产品发布会、各类展销会、消费者参与产品体验或操作示范表演活动、社会公益赞助活动等。新闻发布方式目前采用也较多，尤其是新的产品或新改装、改进的产品，因为它们本身就具有新闻价值。展示方式就是将商品直接让消费者体验。新品展示或者是品牌体验店等形式则以强调商品的特性为目的。这种方式相对于平面的文字更有说服力。以品牌冠名的文艺表演或者公益活动，能起到较好的社会效果，消费者更能自然地接受品牌广告宣传。

第二节 广告定位

广告定位是指通过广告传播活动，将品牌或产品在消费者心目中确定一个合理的位置。广告定位的目的是使目标消费者喜爱该品牌。广告定位是否准确是广告成功的关键。定位观念源自于美国两位著名的广告人艾·里斯和杰克·特劳特。广告定位观念的提出，对广告策略的确立具有划时代的意义。在现代广告策划中，定位显然是广告决策中具有关键作用的决定性环节。广告定位是否合理、准确不仅关系到整体广告活动的效果，而且也决定了广告的成败。因此，定位已成为现代广告活动的一个重要原则。

广告定位从商业广告活动、市场营销活动开始，延伸到个人在社会，乃至一个国家在世界上的所处的位置来确定。准确的定位对于广告策略显然具有重大的意义。大卫·奥格威把定位界定为“这个产品要做什么，是给谁用的”，他认为“促销的主要步骤是把产品置于正确的位置”。给广告产品以明确的定位，使目标市场的指向性更清晰，广告诉求更准确、更直接和更单纯，并以此加强广告产品在同类市场中的独特性和竞争力度。

一、广告定位理论的产生与发展

广告定位理论大致经历了四个发展阶段。

（一）USP广告理论阶段

在20世纪50年代左右，罗瑟·瑞夫斯提出广告应有“独具特点的销售说辞”（Unique Selling Proposition，缩写为USP）。他主张广告要把注意力集中于商品的特点及消费者利益之上，强调在广告中要注意商品之间的差异，并选择好消费者最容易接受的特点作为广告主题。

（二）形象广告阶段

从20世纪50年代以来，西方发达国家的经济生产得到迅速发展，新产品不断涌现，同类产品在市场上竞争十分激烈。为提高企业和品牌声誉，开创著名品牌，使消费者根据企业品牌的名声与印象来选择商品，许多广告人通过宣传品牌以树立品牌形象为核心来促进产品的销售。这一时期最具代表性的人物就是被称为“形象时代建筑大师”的大卫·奥格威。他最著名的对广告的解释就是：“每一广告都是对品牌印象的长期投资”。

（三）广告定位阶段

艾·里斯和杰克·特劳特于1969年在美国《产业行销杂志》上发表文章《定位是人们在今日模仿主义市场所玩的竞赛》，文中使用了“定位”（Positioning）一词。广告定位阶段自20世纪70年代初期产生，到80年代中期达到顶峰，其广告理论的核心就是使商品在消费者心目中确立一个位置。正如艾·里斯和杰克·特劳特所指出的：广告已进入一个以定位策略为主的时代，“想在我们传播过多的社会中成功，一个公司必须在其潜在顾客的心智中创造一个位置”，“在定位的时代，去发明或发现了不起的事物并不够，甚至还不需要。然而，你一定要把进入潜在顾客的心智作为首要之图”。

（四）系统形象广告定位阶段

20世纪90年代后，世界经济日益突破地区界限，成为全球性发展的大经济。企业竞争从局部的产品竞争、价格竞争、信息竞争、意识竞争等，发展到企业的整体性形象的竞争，原来的广告定位思想，进而发展为系统形象的广告定位。

系统形象广告定位，最初产生于美国20世纪50年代中期，发展于60—70年代，成熟于80—90年代。这种广告形态不但在欧美，而且在亚洲都产生了划时代的影响。世界上的著名企业在经营管理过程中都已经在系统形象广告领域做了大量的工作，促进了企业经济效益和社会效益的大幅度提高。

二、广告定位意义

（一）正确的广告定位是广告传播的基准

企业要想在市场上树立品牌和推广产品，广告是必然的选择，而“广告什么”“如何广告”“向什么人广告”，则是广告决策的首位问题。

广告定位在广告活动中具有重要作用，正确的广告定位对于企业广告战略的实施与实现至为关键，准确的、积极的、有效的广告定位会对企业品牌和产品起到促销的作用，而广告定位不准、失误的广告会为企业带来损失，也失去了广告的效用。

（二）正确的广告定位是树立企业品牌形象和打开广告商品目标市场的关键

现代企业产品的设计和研发都是以目标市场和消费者的需求为依据的，新产品要想打开市场，必须有准确的目标市场和产品定位，如果定位不准确就会影响品牌的树立和产品目标市场的销售，准确的广告定位在客观上能够促进品牌的树立和产品的销售。无疑，品牌和产品借助于正确的广告定位强化了广告商品目标市场的需求，也巩固和促进了品牌的地位。

（三）准确的广告定位是说服消费者的关键

能够吸引消费者关注商品，准确的广告定位非常关键。因为，吸引消费者注意的广告，都契合消费者的利益关注点，满足了消费者获取广告信息的利益诉求，能够起到说服消费者的作用。否则，由于广告定位不准，没有满足消费者的利益诉求，即使是消费者需要的商品，也会失去促销的作用。消费者选择商品，不仅是对产品质量、功能和价格的选择，更包含了对品牌的认可、对产品的信任和对企业周到的售后服务的放心，这些都是满足消费者利益诉求的关键。

（四）准确的广告定位有利于商品识别

现代市场中产品丰富，同类产品很多，要想准确识别广告商品，广告定位就要突出商品的差异性和品牌的与众不同点，使消费者对品牌和商品认知清晰。在消费者的类比中，告诉消费者“本品牌的产品与众不同的特性”。

（五）准确的广告定位指导广告创意表现并形成评价基础

广告定位是为实现广告目标服务的，而广告创意表现是依据定位进行的。广告的创意、设计、表现要以广告定位为指导，一则广告的创意表现和传达信息的准确与否，要以广告定位的表现是否准确来进行分析和评价，因为广告创意表现是以广告定位为核心展开的，对广告创意表现进行的评价，归根结底就是对广告定位的评价。

三、广告定位策略

产品广告的定位主要有两大类：实体定位和观念定位。实体定位包括：市场定位、企业定位、品牌定位、产品定位、品质定位、价格定位、功效定位等；观念定位包括：改变或创造消费观念定位、逆向观念定位、是非观念定位、消费者诉求观念定位（理性诉求：说服、劝导；感性诉求：健康、成功、英雄、亲情 、魅力、幽默、时尚等）。

（一）市场定位策略

把产品宣传的对象定在最有利的目标市场上。通过整合市场，寻找到市场的空隙，找出符合产品特性的基本顾客类型，确定目标受众。可根据消费者的地域特点、文化背景、经济状况、心理特点等不同特点，进行市场的细致划分。策划和创作相应的广告，有效地影响目标公众。

（二）产品定位策略

最大限度地挖掘产品自身的特点，把产品的特性、品质、风格、内涵等个性作为广告创意和表现的形象定位。如产品的特色定位、品质定位、质量定位、价格定位、服务定位等方面，突出产品优势，区别于市场的同类品牌和产品，树立产品自身独特鲜明的品牌形象。

（三）观念定位策略

观念定位是在广告中突出宣传品牌产品新的意义和新的价值取向，诱导消费者的心理定势，重塑消费者的习惯心理，树立新的价值观念，引导市场消费的变化或发展趋向，赋予产品一种全新的观念和内在灵魂，既符合产品品质特性，同时又满足消费者的心理诉求和价值预期，从引领消费观念的高度独领市场，成为品牌翘楚，并将品牌和产品的思想、价值、精神和情感融入到消费者的价值利益中。

四、广告定位方法

广告定位方法主要有抢先进入市场定位法、强化定位法、比附定位法、逆向定位法、补隙定位法等。

（一）抢先进入市场定位法

抢先进入市场定位法是指企业在投放广告时，力争使自己的产品品牌第一时间进入消费者的心目中，形成第一印象，抢占市场第一位置。市场经验证明，最先进入消费者心目中的品牌，在长期市场占有率方面平均比第二品牌要高出很多，而且此种关系是不易改变的。第一个进入消费者心中的品牌，都是难以忘记的。

（二）强化定位法

强化定位法是指品牌一旦成为市场领导者后，还应不断地加强品牌产品在消费者心目中的印象，以确保第一的地位。实行强化定位应做到如下两点：

（1）不断加强消费者起初对品牌形成的观念，不断满足消费者对品牌的利益诉求。

（2）不留给品牌竞争者任何扩大市场的可乘之机，巩固竞争优势并确保品牌的领导地位。

（三）比附定位法

比附定位法是指企业在广告定位中，不但明确自己现有的市场位置，而且明确竞争者的位置，广告的比附定位就是要做到在市场中知己知彼、有的放矢。了解和认识竞争者的位置甚至更加重要，然后用比较的方法将自己建立的品牌与竞争者的品牌进行市场比较，确立自己品牌想要在市场中占据的位置。

（四）逆向定位法

逆向定位法是指企业在进行广告定位时，面对市场上强大的竞争对手，寻求一种远离竞争企业的“非同类”的构想，使自己的品牌独具面貌、另辟蹊径，以一种独特的、不同寻常的形象进入消费者心目之中。

（五）补隙定位法

补隙定位法是指企业在进行广告定位时，根据自己品牌产品的特点，去寻找一个能称得上第一的空隙，这一空隙也符合消费者心目中对产品的期许，如在产品的质量、性质、类别、大小、价位和功能等方面独树一帜。只要悉心研究产品，在广告定位时总能找到你所需要的空隙。

PART 4

第4章

广告创意与广告表现形式

现代广告创意是在广告创意策略指导下对企业、品牌、产品、市场进行全面的调研分析、深入了解，对消费者进行深入研究，凭借对产品分析和了解的直觉力和创意点，将所获取的各种创造元素进行筛选、提炼、组合、转化并加以原创性的表现过程。所提出的独特的、创造性的创意构想就是广告创意。现代广告创意是全面的、动态的、有效的广告信息传播。创意是整体广告活动中的关键，是广告的核心。

伯恩巴克说："广告创意是赋予广告生命和灵魂的活动，广告创意是广告整体活动过程中最富挑战性的核心环节，是现代商战竞争中树立品牌个性形象、赢得消费者和获取商业利润回报强有力的市场推广手段。"

每个广告创意的提出，都经过了一个广告策略的发展过程。广告的秘诀不在于"说什么"，而在于"如何说""如何吸引消费者购买商品"。广告表现形式的选择可以说是"说服"方式的选择。广告中合适的、恰当的、有吸引力的"说服"方式，能使广告商品表现得更充分、更准确，使广告表现得更亲切，更能引起消费者的心理共鸣。

第一节 广告创意

一、什么是广告创意

广告创意就是独创性的想法。创意具有原创性、独创性的特点。广告创意也可以这样认为：从广义角度讲，主要指广告活动中所涉及的创造性的思想，它指导整个广告活动。这几乎包含了广告活动的所有环节，创意体现在整个广告活动中，它既包括广告主题创意、广告表现创意，也包括广告媒体创意、广告促销创意、公关创意等。从狭义的角度讲，广告创意主要是指广告主题确立之后的广告设计构思与艺术表现形式创作，即创造性的广告设计表现。广告创意是广告的内在灵魂，广告创意是通过广告形象以及广告表现背后所传达出的广告理念和思想来传达的。广告表现是广告设计的外在表现形式。

不论是狭义的广告创意还是广义的广告创意，广告创意的核心策略在横向和纵向上都应具有延展性。广告创意的作用就是"用独特想法、眼光和表现形式来吸引和打动消费者，促使消费者去购买你的商品"。李奥·贝纳对广告创意的解释是："所谓广告创意，真正的关键是如何运用有关的、可信的、格调高的方式，在与以前无关的事物之间建立一种新的有意义的关系的艺术，而这种新的关系可以把商品用某种新鲜的见解表现出来。"（图4.1.1至图4.1.3）

图4.1.1　广告创意（一）

图4.1.2　广告创意（二）

图4.1.3　广告创意（三）

（一）广告创意必须有明确的信息策略的指导

（1）不包含信息的广告创意，即便表现奇特，也很难成为好的创意。好的创意必须能吸引人们的注意力。

（2）好的广告创意必须能使广告产生效益。一条不能给企业带来效益的广告、不能起到促进产品销售作用的广告，就不能算是成功的广告。

（二）广告创意是基于对生活常识的把握

广告创意来自于对产品、对消费者的独特了解。广告创意常将不同想法，做一种出乎意料的新组合，从而将一件特别的事情置于一种新的令人关注的环境中；或是将两个无关的想法、两个元素进行出乎意料的创新组合，从而让消费者以一种全新的角度来感受广告传达的信息，并留下深刻印象。在广告创意中常常运用两个看似互不关联的想法的巧妙融合。

（三）广告创意要从动态的角度去理解

广告创意是广告创作者对广告活动进行整体的创造性的思维活动，从静态的角度看，广告创意是为了达到广告目的，对广告主题、内容和表现形式所提出的创造性的想法。广告创意作为广告创作的专用语，指广告设计创意、广告文案创意、广告图形创意、广告表现形式创意。广告创意包含运用意象、意境、立意、思考、想象、联想、观念等方法，即通过广告创意来创造出使人记忆深刻的品牌形象、商品形象或独特的广告语、鲜明的艺术表现形式等。

二、广告创意策略

（一）什么是广告创意策略

广告创意策略就是将品牌、产品、广告目的、目标对象、竞争对手进行全面分析，提出利益点与支持点并进行准确创意定位，定义出广告目标的核心价值。广告创意要经过一个广告策略发展过程。发展产品信息、消费者信息、销售信息是广告创意策略的来源，但这并不等于广告创意必定成功。发展有效的、有利消费者的和商品销售的信息肯定是广告创意成功不可缺少的保证之一。

（二）发展广告创意策略

没有一个公式可以帮助你产生独创的、奇妙的广告创意，但是却有一套有效的系统方法来帮助你发展有效的广告创意策略。发展广告创意策略的产品信息、消费者信息、销售信息，要深入思考下面四个问题：

（1）对谁讲：消费者是谁、喜欢什么、厌恶什么、有何偏见？

（2）说什么：传送什么信息可以让消费者相信或感动？

（3）如何说：用什么方式说？ 温柔地说、诚恳地说、权威地说还是自信地说？

（4）什么时候说：在什么时候传送这个信息给消费者最好？

发展创意策略的过程往往被称为在广告活动中寻找应该“说什么—如何说”的过程。广告创意策略就是把能为消费者提供最为重要的产品或服务的核心利益用简练和明白的一句话表达出来。

（三）广告创意策略包含的内容

（1）品牌定义：品牌和消费者关系的核心内容是广告创意发展的最高原则，是决定创意所传达的品牌个性、品质、风格和服务的关键。

（2）广告目的：是以什么方式影响消费者，使之产生什么行为或看法，以及如何帮助企业建立品牌和促进商品销售。

（3）目标对象：形成策略的关键——谁是最重要的消费对象（包括对消费人群的统计、消费心理分析、品牌的认知和产品使用行为分析等）。

（4）竞争对手：谁是我们的竞争者，他们如何与消费者沟通？消费者又是如何看待他们的产品和广告的？我们从中可以发现什么机会点？

（5）创意定位：发现市场，找到消费者需求中的确切位置。正确地、科学地、有效地确定广告主题，确定诉求对象的定位（Who）、诉求内容的定位（What）。

（6）利益点：满足消费者的需求，提供给消费者产品和服务并使之获得这种满足——理性或感性诉求。

（7）支持点：消费者的购买动机是什么？产品或品牌如何兑现承诺？

三、广告创意原则

（一）主题性原则

广告主题是广告创意的出发点和基础，同时也为创意的发挥提供了最基本的核心内容。广告创意只有清晰地传达了广告主题，才能最准确地发挥广告传播信息的作用。如果广告创意不能表达主题，甚至偏离主题，那么创意即使再独特，也会是南辕北辙，只会对广告信息传播形成一种干扰作用或没有达到应有的广告效果。

（二）独创性原则

广告创意的独创性是指广告创意中不能因循守旧、墨守成规，而是要勇于创新、善于标新立异、独辟蹊径。与众不同的、具有新奇感的创意，是吸引人们注目、触发人们强烈兴趣的魅力所在，独创性的广告创意具有最强大的心理突破效果。优秀的广告创意能够在受众脑海中留下深刻的印象，并被长久地记忆，这一过程也符合广告传达信息的目标。

（三）实效性原则

广告创意的实效性原则是由广告的目的性决定的，独创性虽然是广告创意的重要原则，但独创性不是目的。在进行广告创意时，就要善于将各种信息符号元素进行关联性地

“最佳组合”，使其具有准确传达商品的特性的功效。其关键是做到“商品性”与“新颖性”之间的统一。广告创意能否达到促销的目的，基本上取决于广告信息的传达效率。广告创意如果不能起到促进销售的作用，就不能说是好的创意。

四、广告创意程序与方法

广告创意程序就是一个寻找创意的过程。广告创意策略确定了广告“说什么”，然后寻找“如何说”“怎样说”，这是一个具有挑战性的创造思维过程。虽然有许多规律性的方法可以指导这个核心创意过程，但是没有任何确定的方法和公式能够生产创意。

（一）广告创意基本程序

（1）准备阶段，对广告目标的有关资料进行收集、分析、研究，同时提出多种创意方案的假说。这个阶段的创意思维具有多向性和不确定性。

（2）选择阶段，对提出的广告创意构想与意图作全面分析比较，优选最理想的方案，并进一步酝酿和加工，使设计构思逐步明确化、具体化，此时的思维具有定向性和目的性。

（3）完成阶段，这个阶段的创意活动和设计是关联在一起的，完整的广告创意意图在具体形象与整体创意关系中表达出来，创意的反复认识过程贯穿于设计全过程。在此阶段，设计师是按确定的广告创意方案逐步完善、深化，但也可能在完善的过程中灵光一闪，用更理想的创意取代。总之，这三个阶段既相互联系，又交叉进行。

（二）广告创意的产生过程

詹姆士·韦伯·扬认为产生广告创意大致包括五个过程：

（1）收集素材：收集当前相关问题的资料以及将来会使你增长一般知识的资料；

（2）酝酿：在你的脑海中消化和运用这些资料；

（3）孵化：将一些东西丢入潜意识中进行合成工作；

（4）创意产生：在头脑中灵光一现，高呼“我找到了”；

（5）最后修改和完善：使创意可以被有效地运用。

（三）广告创意方法

广告创意就是去发现如何有效地传播信息的方法。一般意义上的创作方法也适用于表述广告创意活动。常用的方法有：

（1）头脑风暴法（Brain Storming）

头脑风暴法又称脑力激荡法。创意人员围绕一个明确的广告主题，从各自的知识和经验角度相互讨论、启发和激励寻找创意点，由此引发出创造性设想的连锁反应，以产生更多的创造性设想。头脑风暴法应遵循以下原则：自由畅想原则，禁止批评原则，结合改善原则，以质生量原则。这种方法的最大好处是可以避免孤军作战，弥补个人局限与不足，通过团队合作，集合众人的智慧，产生出大创意。

（2）运用不同的思维方法进行创意

纵向思维方法注重事物间的逻辑关系，即通常所指的垂直思维法。这种方法往往将思路和视野限制在已有经验和知识认同的范围内，有深度但缺乏广度。水平思维法是围绕特定的主题，突破原有的框架，朝着若干方向思考。发散性思维是从多角度观察和思考问题，重新进行信息和符号的分解组合、概括夸张，从发散思考中得到启发，再归纳集中后进行创意。逆向思维法是从相反对立的角度去思考问题。此外还可以通过联想思维、形象思维、意象思维等思维方法启发创意。

（3）启发式创意方法

启发想象是一种创意方法。一些奇异的、超自然、反流行、反规律的表现方式之所以易引发注目与加深记忆，是利用了人的生理感应与心理认知的作用规律。诸多超现实的表现相悖于人对客观物象正常的、规律性的认识，从生理感应到心理感知应有的平衡被打破，人们对其直觉经验的思维与联想受阻，势必会激发多维的想象与探索的好奇。自然界有许多事物和现象，如天上的一片巧云、水中的一滴油花、空中的一缕白烟、地上飘落的一片红叶、一颗石子、一枚贝壳、一根羽毛、一只蝴蝶……如果设计师从中进行细致观察、深入分析、运用素材间的联系和比较，把需要解决的问题与其他事物进行联系和比较，一定会得到有益的启发，开拓出新的创意思路。

创意也可以运用科学技术知识启发得到。如，运用物理学上的挤压、拉伸、旋转、折叠、向心、离心等形式启发创意；运用光学手段造成的视错觉、视幻觉、光效应等形式启发创意；运用数学手段的几何化平面构成等形式启发创意；运用生态学手段的移花接木、杂交组合等形式启发创意；运用仿生学手段的拟人、拟物等形式启发创意。

（4）运用传统艺术和其他艺术形式进行创意

传统艺术、民间艺术是取之不尽的创意源泉。从古代的陶器、铜器、瓷器、漆器、织绣、雕塑、建筑样式、装饰纹样等去寻求创意素材。优秀的传统文化遗产就是我们创意最好的素材。国外传统与现代艺术同样需要我们去认真地研究，以此提高我们的创意能力。文学、音乐等姊妹艺术形式同样可以启发我们的创意思路。

（四）发现创意概念

什么是创意概念，就是连结广告信息与表现方式之间的关键点，有强烈记忆效果、有意味、可延续发展的说法或承诺。

（1）强调品牌或产品独特的品质或某一方面优点。

（2）本身极具原创性，别人没这么说过。

（3）可以用一句概念性的话来表述，而不是一个故事、一个画面。

（4）创意概念可以是：比喻、夸张、巧合、双关、放大、强化等。

例如“绝对”伏特加酒的广告创意（图4.1.4至图4.1.10）。创意策略：排他而绝对的喜爱。创意概念：当你喜欢某一样东西的时候，你看什么都会像它。创意发想：用所有不相关的元素表现伏特加酒产品的外观。

图4.1.4 “绝对”伏特加酒广告创意（一）

图4.1.5 “绝对”伏特加酒广告创意（二）

图4.1.6 “绝对”伏特加酒广告创意（三）

图4.1.7 “绝对”伏特加酒广告创意（四）

图4.1.8 “绝对”伏特加酒广告创意（五）

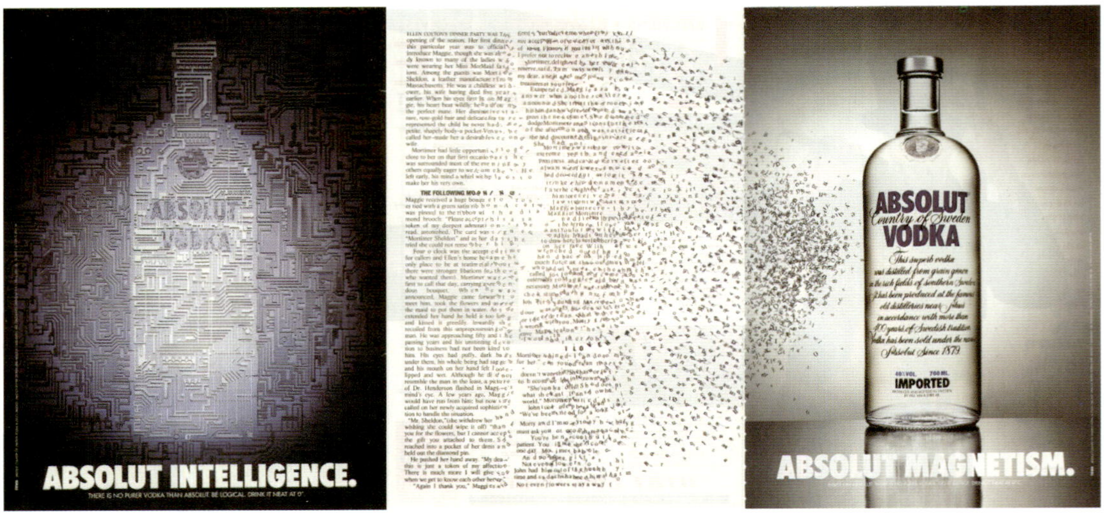

图4.1.9 “绝对”伏特加酒广告创意（六）

图4.1.10 “绝对”伏特加酒广告创意（七）

（五）广告创意需要认真考虑以下四点

（1）要尊重消费者。广告不能以居高临下的口吻与消费者说话。

（2）广告手法必须明确、简洁。广告必须要把拟告诉消费者的内容浓缩成单一的目的或主题，否则广告就不具有创新性。

（3）广告必须与众不同，必须有自己的个性和风格。广告最重要的东西是要有原创性和新奇性。

（4）不要忽视幽默的力量。幽默可以有效地吸引人们的注意力，并引发人们对广告表达内容的兴趣。

知识链接

几种经典的广告创意方法

（一）李奥·贝纳的固有刺激法（或叫内在戏剧性诉求法）

李奥·贝纳（Leo Burnett，1891—1971）的创意，给人深刻的印象，他通过热情、激情和经验，创造广告文案的“内在戏剧性效果”。他认为，广告创意的成功秘诀在于发掘产品本身内在的固有的刺激，他自己把这种刺激称为：内在的戏剧性。李奥·贝纳认为，广告创意最重要的任务是把产品本身内在的固有的刺激发掘出来并加以利用。这种创意方法的关键之处是要发现企业生产这种产品的原因，以及消费者购买这种产品的原因。

产品本身内在的固有刺激的产生是建立在消费者的欲求和兴趣基础之上的。但是，此种创意方法的出发点是产品，从产品出发去寻找消费者心中对应的兴趣点，即认为产品中必然包含有消费者感兴趣的东西。因此，我们可以认为，这种创意的方法具有对产品年代的思考特征，另一方面，这种创意方法也有以消费者为中心的思考特征。

李奥·贝纳认为，一般情况下，根据产品和消费者的情况，要做到恰当，只有一个能够表示它的字，只有一个动词能使它动，只有一个形容词可以准确描述它。对于创意人员来说，一定要找到那个名词、那个动词以及那个形容词。

李奥·贝纳的意思是，你必须找到传达产品和服务内在特点的最为准确的方式，而只有一种方式可以使广告对于消费者来说具有最大的戏剧性效果。他鼓励广告创意人永远不要对“差不多”感到满足，也不要依赖闪烁的言辞去逃避困难。

（二）罗瑟·瑞夫斯的独特销售说辞

罗瑟·瑞夫斯（Rosser Reeves，1910—1984）提出了“Unique Selling Proposition ”，简称USP，中文之意为“独特销售说辞”（也有人翻译为“独特销售主张”）。1961年，在达彼思广告公司任职的罗瑟·瑞夫斯写了一本名为《广告实效》（*Reality in Advertising*）的书，此书极为畅销，对于广告界影响巨大。在这本书中，罗瑟·瑞夫斯提出了“独特销售说辞”的广告创意理念，这一理念包含三部分内容：

（1）每一个广告都必须向消费者提出一个说辞。说辞不是光依赖文字，不只是对产品的吹嘘，也不只是巨幅的画面。每则广告一定要对一个广告信息接受者说：“买这个产品，你将从中获得这种明确的利益……”

（2）提出的这个销售说辞必须是竞争对手没有提出或无法提出的，并且无论在品牌方面还是承诺方面都要独具一格。

（3）提出的销售说辞必须要有足够的力量吸引众多的消费者，也就是说，销售说辞应该有足够的力量为你的品牌招来新的消费者。

罗瑟·瑞夫斯认为，一旦找到“独特销售说辞”，就必须把这个独特的说辞贯穿于整个广告活动，必须在整个广告活动的各个广告中都加以体现。“独特销售说辞”的著名案例之一是罗瑟·瑞夫斯为某巧克力品牌所做的广告。当时，该巧克力是美国唯一一种用糖衣包裹的巧克力。罗瑟·瑞夫斯认为独特的销售说辞正在于此。怎样把这一独特的销售说辞体现在广告中呢？最后，在该巧克力的广告中，他把两只手摆在画面中，然后说：“哪只手里有××巧克力呢？不是这只手，而是这只手。因为，××巧克力——只溶在口，不溶在手。”

我们不难发现，罗瑟·瑞夫斯的独特销售说辞和李奥·贝纳的固有刺激法有一个相似之处，即一开始把很大的重点落在产品之上，先找到产品的独有的特点，然后再以不同的方法去引起消费者的兴趣。

产品同质化的现象使寻找独特销售说辞的工作越来越难，但是，毫无疑问，它仍是广告创意重要的思考方法之一。

（三）大卫·奥格威的品牌形象法

大卫·奥格威（David Ogilvy，1911—1999），富有传奇色彩的广告人，以创作简洁、富有冲击力的广告形象而著称。他是奥美广告创始人。他的广告作品的特点是文辞华丽却又切合实际，尊重消费者而不失幽默机敏。大卫·奥格威同时也擅长于以事实为依据的长文案，他发展了艾尔伯特·拉斯克尔的“印刷推销术”的理论。他的“品牌形象法”随着他所撰写的《一个广告人的自白》风行于20世纪60年代的广告界。

大卫·奥格威认为每一个广告都是对整个品牌的长期投资，任何产品的品牌形象都可以依靠广告建立起来。他认为品牌形象并不是产品固有的，而是消费者对产品的质量、价格、历史等方面，在外在因素的诱导、辅助下形成的。根据品牌形象的理论，由于一个产品具有它的品牌形象，消费者所购买的是产品能够提供的物质利益和心理利益，而不是产品本身。因此，广告活动应该以树立和保持品牌形象的这种长期投资为基础。

品牌形象的理论提出后在广告界产生了巨大的影响，这就像一场广告观念的变革。而引起巨大震动的原因是这种广告创意法把对产品品牌的长期投资放在首要地位，一旦以长期投资为目标，企业在有些时候就必须牺牲短期利润。长期利润和短期利润的平衡问题近年来已经成为令企业和广告界最为头痛的问题之一。

（四）威廉·伯恩巴克的实施过程重心法

威廉·伯恩巴克（William Bernbach，1911—1982）可能是时至今日在广告创意领域最有影响的人物。在《广告时代》20世纪末的评选中，他被推选为广告业最有影响力的第一位人物。

1949年，他和多伊尔以及马克斯韦尔·戴恩成立了多伊尔·戴恩·伯恩巴克（DDB）广告公司。

伯恩巴克赞同这样的创意过程：将客户的产品与消费者联系起来，明确人类的品质与感情扮演怎样的角色，然后广告决定如何利用电视或平面形式向消费者传递信息并赢得他们。

伯恩巴克认为广告信息策略的“如何说”这个实施的部分可以独立成为一个过程，形成自己的内容。这就是所谓的实施过程重心法。

“我警告你们，不要相信广告是科学。”伯恩巴克就是采用这样自信而绝对的说法来强调自己的广告哲学。他首倡美术指导和文案人员的协作。他认为，广告的秘诀不在于“说什么”，而在于“如何说”，即如何打动你的消费者并赢得他们。但是，他其实并不否定研究和分析的重要性，他说：“逻辑与过分的分析使创意失去灵性和毫无作用。”他的意思是不要把研究和分析当作救命稻草，不要让创意被数字束缚住灵活性。伯恩巴克利用实施过程重心法的著名作品是为某汽车所做的系列广告。

该汽车的系列广告画面都很简洁，只是单纯的车，通常是黑白两色，主标题是“想一想小”（Think Small）。标题简单却富有深意。下面让我们来看几则广告。

（1）柠檬篇

这则广告以“柠檬”（Lemon俚语，意为不合格被剔除的产品）为标题，画面是一辆看不出任何瑕疵的××车，那么，为什么说它是“柠檬”呢？广告文案写道：“这部车子没有赶上装船，因为某个零件需要更换。你可能不会发现那个零件的问题，但是我们的品质管理人员却能检查出来。在工厂里有3389人只负责一件事，就是在××车生产的每一道过程严格检验。每天生产线上有3000个员工，而我们的品质管理人员数量却超过了生产人员。任何避震器都要测试，任何雨刷都要检查……最后的检验更是慎重严格。每部车经过189个检查点，在刹车检查中就有一辆不合格。因此，我们剔除‘柠檬’，而你得到好车。”

（2）蛋壳篇

这则广告标题是“某种外型很难再改良”。广告文案是这样的：“问任何一只母鸡都知道，你实在无法再设计出比鸡蛋更具功能的外型，对××车来说也如此。别以为我们没有试过（事实上××车改变将近三千次），但是我们不能改变基本的外观设计，就像蛋形是它内容物最合适的包装，因此，内部才是我们改变的地方。如马力加强而不耗油，一档增加齿轮同步器，改善暖气，诸如此类的事。结果我们的车体可容纳四个大人和他们的行李。一加仑汽油可跑大约32英里（1英里≈1.6千米），一组轮胎可跑4万英里。当然，我们也在外型上做了一些改变，如按钮门把，这一点就强过鸡蛋”。

（五）艾尔·里斯和杰克·特劳特的定位法

艾尔·里斯（Al Reis）和杰克·特劳特（Jack Trout）在《产业营销》（Industrial Marketing）和《广告时代》（Advertising Age）上发表了一系列的文章，介绍和阐述了“定位观念”（Positioning）。定位观念自从被提出后，被不断修正和发展，如今已经成为一种最为基本的广告创意方法。他认为，广告应该为竞争中的产品确立一个独特的位置。所谓的定位，就是利用广告为产品在消费者的心中找到并确立一个位置。一旦定位成功，当消费者需要这类产品时，就会自动想到这个产品。

艾尔·里斯和杰克·特劳特用艾维斯租车公司（Avis）的“我们第二，但更努力”的广告作为自己理论的证据。

艾维斯租车公司（Avis）的“我们第二，但更努力”的广告是威廉·伯恩巴克创作的。这一主题的广告使几乎破产的艾维斯有效地对抗了出租车行业第一位的公司，并取得了自己的独特地位。

威廉·伯恩巴克的“我们第二，但更努力”作品是典型的“如何说”的创意思路，因为从“说什么”的角度考虑，“第二”是一个并不值得宣扬的特征。这则广告也成为“定位”创意策略的经典。各种广告创意方法有时是相互交融的，方法的分类只是为了更好地理解其中的创作思路。定位法也常常与品牌形象法难以区分。然而，我们可以说，定位法更注重逻辑的分析，注重在逻辑的基础上进行产品在消费者心中的区分。艾尔·里斯和杰克·特劳特提出定位理论后，不断有人加以丰富和发展。如有人提出了定位的一些重要指标：

（1）以产品特征和消费者利益定位。

（2）以价格–质量关系定位。

（3）以使用方式定位。

（4）以产品实际消费者定位。

（5）以产品种类定位。

（6）以文化象征定位。

第二节 广告表现形式

广告表现形式的选择可以说是“说服”方式的选择。合适的、恰当的“说服”方式，能使商品表现得更充分，使广告策划更完美。下面列举几种较常见的广告表现形式。

一、直接陈述形式

这是一种最常见的广告表现形式，即广告产品或服务是运用直接陈述的方法来表现的，充分运用摄影或绘画等技巧的写实表现能力，细致刻画和着力渲染产品的质感、形态和功能用途，将产品精美的质地引人入胜地呈现出来，给人以逼真的现实感，使消费者对所宣传的产品产生一种亲切感和信任感。这种手法由于直接将产品推到消费者面前，所以要十分注意画面上产品的组合和展示的角度，应着力突出产品的品牌和产品本身最容易打动人心的部位，运用色光和背景进行烘托，使产品置身于一个具有感染力的空间，这样才能增强广告画面的视觉冲击力（图4.2.1至图4.2.3）。

图4.2.1　直接表现产品（一）

图4.2.2　直接表现产品（二）

图4.2.3　直接表现产品（三）

二、用名人推荐的形式

即选用大众熟知或崇敬的社会名流、影视明星、体育明星等做产品形象代言人推荐产品。名人推荐广告会使消费者因喜爱自己的偶像而对商品感到亲切，从而产生信任感。由于名人在社会活动中产生过巨大的影响，他们在公众心目中具有偶像地位，他们的生活方式、行为准则、审美情趣以及对社会的积极影响，无形中引发了公众对其的崇拜、模仿、追逐并形成强有力的社会感染力和号召力。反之，如果形象代言人有负面舆论，则会产生相反的影响。（图4.2.4至图4.2.6）

图4.2.4　名人式广告（一）

图4.2.5　名人式广告（二）

图4.2.6　名人式广告（三）

三、以情节性表现的形式

这种形式主要采用戏剧性的情节瞬间构成画面焦点。一般多选择幽默风趣的喜剧性场面。情节式广告要以情动人，情节的安排要有浓郁的生活气息，把生活中的戏剧性细节和场面与商品联系起来，从而引发消费者的兴趣。情节的结构一般源自关于商品的联想，以商品为中心，矛盾冲突的焦点、各种造型因素的表现，都要集中于商品。强调人情味，缩短与消费者之间的心理距离并进行情感沟通。广告的诉求点要把握在家庭的温馨、亲人的关怀、朋友的友情以及人物在获得商品后达到的情感满足上，把广告融于生活的美好片断之中。（图4.2.7至图4.2.9）

图4.2.7　情节式广告（一）

图4.2.8　情节式广告（二）

图4.2.9　情节式广告（三）

四、运用幽默夸张的表现形式

幽默夸张式广告常构思新奇、立意独特，充满着轻松诙谐的气氛，给人留下极为鲜明深刻的印象。现代人们更喜欢幽默广告所能创造出的轻松愉快的气氛，而讨厌乏味的说教、冗长的解说。幽默夸张式广告有时表现为生活中某些富于喜剧性情节的场面，有时又表现为一种荒诞而夸张的视觉感受，使本来很平凡的事物变得神奇并不同凡响。幽默夸张式广告的关键在于准确、适度地把握住生活中充满情趣、引人发笑、耐人寻味的幽默情境及瞬间，但要适度、品位要高。（图4.2.10至图4.2.13）

图4.2.10　幽默式广告（一）

图4.2.11　幽默式广告（二）

图4.2.12　夸张式广告（一）

图4.2.13　夸张式广告（二）

五、运用对比说明形式

运用对比的手法去塑造商品的特定形象，可以是产品性能的比较、产品升级的比较。通过对比，使消费者对新产品的新功能、新形象产生鲜明的印象，促使消费者在众多的商品中选择。此外，还有商品使用前后的比较。这种方式是强调商品本身的优点，用其优点去对比其他同类商品的不足之处，这样才能充分发挥优势。（图4.2.14）

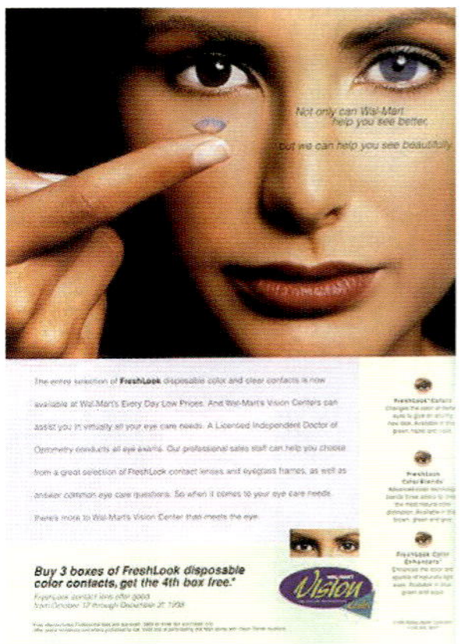

图4.2.14　对比式广告

第三节 系列广告表现形式

一、系列广告的概念

系列广告指同一品牌反复在同一媒体或不同媒体上出现的广告内容相近、传达形式相近、利益诉求点相近，但内容则有改变的广告。这种广告手段便形成系列广告。

由于系列广告连续不断地出现，加深了消费者对品牌商品的印象，极大地起到了传播广告的效果。通过一系列广告宣传活动，在消费者印象中树立了企业和品牌形象。通过一系列强有力的广告宣传，消费者也感受到企业的实力和理念，产生对企业品牌的信任感。

二、系列广告的策略

（一）形式系列策略

在一定时期内，有计划地发布数则广告，这些广告设计形式相同，但内容则有所改变，这种广告手段便是形式系列策略。（图 4.3.1 至图 4.3.6）

图 4.3.1　形式系列广告（一）

图 4.3.2　形式系列广告（二）

图4.3.3　形式系列广告（三）

图4.3.4　形式系列广告（四）

图4.3.5　形式系列广告（五）

图4.3.6　形式系列广告（六）

（二）主题系列策略

企业在发布广告时，依据每一时期目标市场的特点和市场营销策略的需要，不断变更广告主题，以适应不同消费者的心理需求，这就是主题系列广告。（图4.3.7至图4.3.18）

图4.3.7　主题系列广告（一）

图4.3.8 主题系列广告（二）

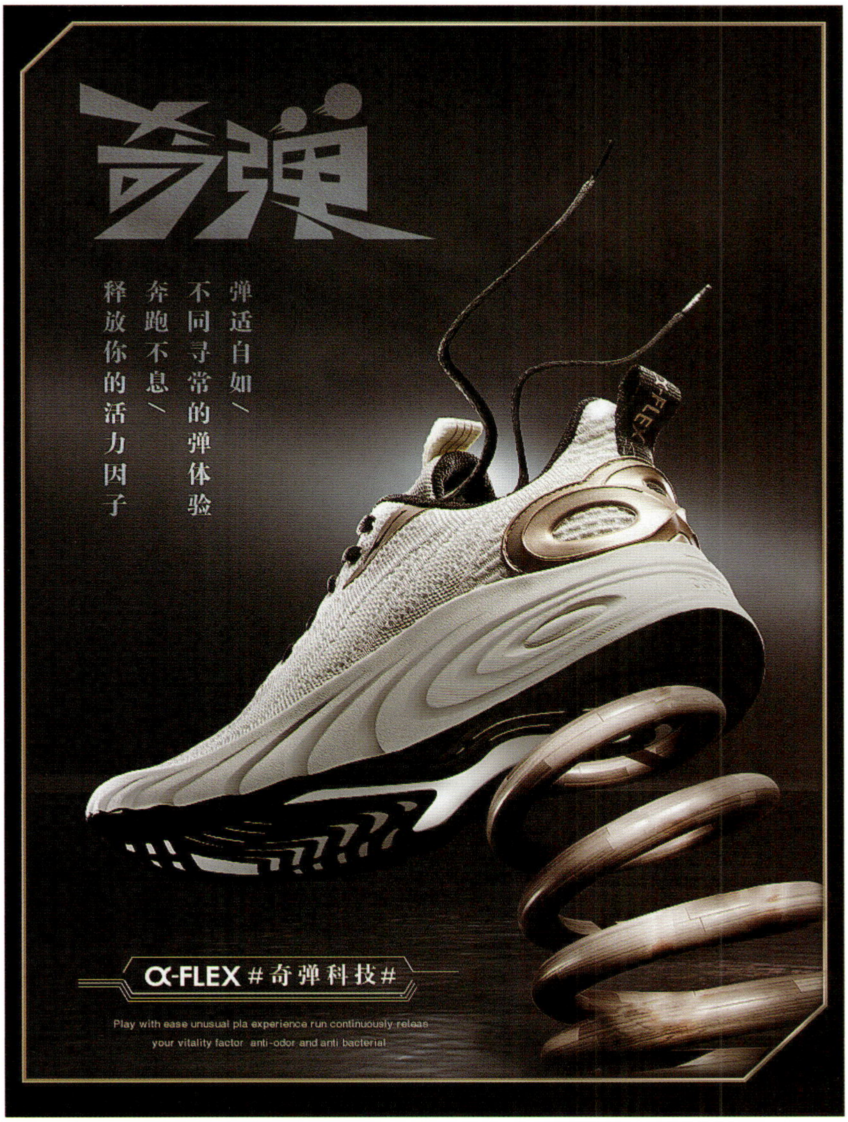

图4.3.9 主题系列广告（三）

图4.3.10　主题系列广告（四）

图4.3.11　主题系列广告（五）

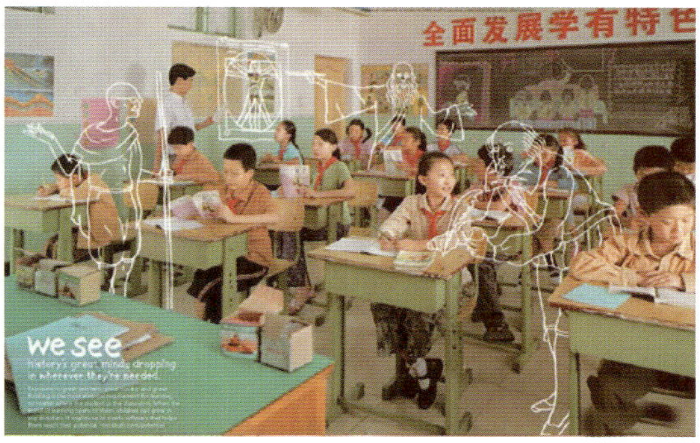

图4.3.12　主题系列广告（六）

图4.3.13　主题系列广告（七）

图4.3.14　主题系列广告（八）

图4.3.15　主题系列广告（九）

图4.3.16　主题系列广告（十）

图4.3.17　主题系列广告（十一）

图4.3.18　主题系列广告（十二）

（三）功效系列策略

产品功效系列广告是强调商品的特殊功效、材料、结构形成的系列产品广告。功效系列广告策略是从商品的不同功效角度来表现商品。在系列广告中，每一篇广告强调一种功效或材料，使消费者易于理解和记忆。或者结合消费者和市场形势需要，在不同时期或季节突出宣传产品的特殊功效或用途，更能起到直接的、针对性的促销作用。（图4.3.19至图4.3.22）

图4.3.19　功效系列广告（一）

图4.3.20　功效系列广告（二）

图4.3.21　功效系列广告（三）

图4.3.22　功效系列广告（四）

（四）产品系列策略

这种宣传策略广告，是为了适应企业系列产品（也称家族系列产品）的经营要求而实施的广告。产品系列广告应密切结合系列产品的营销特点进行。系列产品具有种类多、品种全、声势大、连带性强等特点。广告宣传中，在有限的时间和媒体容量里不可能全部列举。因此，可采用产品系列广告策略。（图4.3.23、图4.3.24）

图4.3.23　产品系列广告（一）

图4.3.24　产品系列广告（二）

三、系列广告的特点

（一）系列广告有利于提升品牌形象

任何产品的品牌形象都可以依靠广告建立起来，广告创意直接决定了品牌形象的建立。成功地树立品牌形象，需要有良好的创意、设计和制作，并且还需要有相当时间的培养，提高广告的出现频率似乎是唯一的办法，但是消费者很容易丧失新鲜感，出现审美疲劳。系列广告常常变换广告形象、广告风格、广告主题。系列广告常常用新的广告形象来代替已经成功了的形象，并且还不断使用有价值的形象，其独特的创意主题和表现往往能收到巨大的效果。

（二）系列广告有利于品牌文化的塑造与传播

广告不仅传播产品信息，同时也潜移默化地塑造一种品牌文化或者价值观念。文化的积淀、价值观念的形成需要一定时间的积淀，很多系列广告的主题有很强的创意，文化色彩浓郁、内涵丰富。例如，广州南国奥园“运动就在家门口”就传播了一种健康的生活观念。同时，系列广告的多样化，使得系列广告在文化积淀方面发挥了独有的优势。系列广告的文化传播一般出现两种结果：（1）品牌文化渗透，如“绝对”伏特加系列广告，该系列通过超过数百张系列招贴广告设计，每一张广告从一个创意点出发，以伏特加瓶子外形为设计元素展开联想，在世界各国、各民族历史文化、现代文明、自然风光、人文传统、熟知的文化象征形象上，创造出奇特的视觉图形，既突出了每个国家的特色、历史、文化、传统等，又使“绝对”伏特加的瓶子外形与其巧妙融为一体，也打造了伏特加特有的品牌形象。（2）通过系列广告的不断重复，可以确立一种新的文化内涵，塑造新的生活方式和价值观念，从而塑造独有的品牌个性。

（三）系列广告能让品牌的定位更加深入人心

系列广告主题有自己明确的定位。定位是在消费者心理空间寻找一个有效的位置。要做好广告，首先要了解消费者，消费者是理性兼感性的，呐喊式的广告已不足以吸引、打动消费者。相反，循序渐进、潜移默化的广告主题传播，一般能引起共鸣。品牌和产品一样，都有自己的生命周期，有的品牌风光两年就烟消云散，有的品牌历经百年仍然保持青春活力。一个品牌要保持青春有很多种方法，通常就是不断创造新的符号，与时俱进，适应时代发展，改变品牌定位，不断推出新产品，或者进行新的整合、重新包装。种种方法可以让品牌形象不老化、魅力不减少。但是每一种方法都需要投入大量的人力物力，而且也并不是每一种方法都能成功的，要承担一定的风险。

系列广告同样可以使品牌保持青春活力，只需要一个核心的创意、一个统一的主题，就可以在不同的时期、不同的地点，针对不同的消费者采取不同的表现手法和表现方式，还可以延伸不同的创意表现。这样，系列广告可以经常给消费者以新鲜感，同时也能达到保持品牌青春的效果。（图4.3.25至图4.3.27）

图4.3.25　主题系列广告（一）

图4.3.26　主题系列广告（二）

图4.3.27　主题系列广告（三）

四、系列广告设计方法

系列广告确定后，其创意表现形式需要可复制和可延展，需要适合在不同媒体上进行传播。

（1）系列广告主题一致，表现手法、表现角度可以发生变化。

（2）系列广告的构图关系一般形成一致性或相近性。

（3）系列广告标题字形统一、构图位置固定不变，传达信息内容可以根据商品内容进行变化。也可以只有统一的标题、标语，其他适当变化。

（4）系列广告有固定不变的商标标志和基本的色系。

（5）系列广告主要画面构图不变，只改变色调、替换图形或图像。

（6）系列广告总体风格不变，在构图形式、表现内容上进行变化。

PART 5

第5章

广告设计原理

现代广告设计是以整体广告战略为目标，将广告创意和广告表现，通过广告设计清晰而准确地将品牌、商品或服务信息传达给消费者。广告起到树立品牌形象与促进商品销售的目的。广告设计在传达信息上要考虑如何满足消费者对品牌和商品的需求，在广告诉求（理性诉求或感性诉求）上要定位准确，在广告信息传达上要清晰、简洁、明确。在广告设计表现方法上能引起消费者心理上的共鸣，达到广告设计的目标。

第一节 广告设计内容

一、广告设计要素

所谓广告设计要素就是指广告设计要传达给消费者的各种广告信息内容，包括视觉要素和文字内容要素。

（一）视觉要素

是指广告视觉形象，包括品牌形象、品牌代言形象、品牌象征形象、吉祥物、商品形象、商品名称、商标、插图、图案、图表、图标、图形、色彩、设计构图、版式编排、中外文字体、字符、符号、介绍文和说明文以及设计表现方法、印刷制作工艺和设计表现形式等。无论是平面广告、招贴广告、报刊广告、产品样本广告等，还是立体广告、展示广告、路牌广告、POP广告等，广告设计的视觉要素都是不可缺少的。

（二）文字内容要素

是指广告文案，包括广告标题、广告正文、广告口号（广告语）、附属文四部分。广告文案是广告创意结果，也是广告设计的核心要素。据有关广告效果的分析研究结果，广告效果的50%~70%来自广告的语言文字信息部分。这决定了广告文案的重要地位。

广告设计不管是视觉要素，还是文字内容要素，都要相互配合、相辅相成，二者不可分割。文字内容与字体、色彩、图形是不能分开的，要整体去考虑。广告设计就是把这些关系要素处理得恰到好处，达到准确传达信息的目的。（图5.1.1至图5.1.8）

图5.1.1 广告设计（一）

图5.1.2　广告设计（二）

图5.1.3　广告设计（三）

图5.1.4　广告设计（四）

NEW
The effective single-dose solution
Indicated for the treatment of uncomplicated urinary tract infections (acute cystitis) in women due to susceptible strains of Escherichia coli and Enterococcus faecalis.
MONUROL
(fosfomycin tromethamine)
Dissolve contents in 3 to 4 ounces of water. Drink immediately.

图5.1.5　广告设计（五）

图5.1.6　广告设计（六）

图5.1.7　广告设计（七）

第5章
广告设计原理

图5.1.8 广告设计（八）

第二节 广告设计原则与要求

一、广告设计的基本原则

广告设计要遵循一定的原则，一是广告设计的思想性与原创性原则，这是广告设计的灵魂；二是广告设计的真实性原则，这是广告设计必须坚持的理念，也是广告的生命；三是广告设计的合理性与科学性原则，这是广告设计传达品牌或商品信息的重要依据；四是广告设计的商品性与艺术性原则，这是准确传达品牌和商品信息并能增强广告设计表现魅力的关键。

（一）广告设计的思想性与原创性原则

（1）广告设计的思想性与原创性是广告设计的灵魂。尽管广告设计内容多样，不同的广告主题又有不同的表现手法和多种表现形式，但其思想性与原创性则是广告设计的核心。广告设计的思想性，就是通过广告设计传达健康的、向上的、美好的思想感情，而不应该在广告设计中传达庸俗的、低级的、不健康的思想内容。

（2）广告设计的原创性是指广告设计中在传达方式和表现方法上不因循守旧、墨守陈规，而是善于以独特的角度将各种信息、符号、元素进行最佳组合去表达设计理念。只有独创的、与众不同的、新奇感人的广告设计才会触发人们强烈的兴趣、留下深刻的印象，才能在受众脑海中长久地被记忆，达到广告设计传达信息的效果。

（二）广告设计的真实性原则

真实性是广告的生命和本质，是广告设计首要的和最基本的原则。为了确保广告的真实性，《中华人民共和国广告法》第三条规定："广告应当真实、合法，以健康的表现形式表达广告内容，符合社会主义精神文明建设和弘扬中华民族优秀传统文化的要求"；第四条规定："广告不得含有虚假或者引人误解的内容，不得欺骗、误导消费者"；第五条规定："广告主、广告经营者、广告发布者从事广告活动，应当遵守法律、法规，诚实信用，公平竞争"。因此，广告真实性是必须遵守的法律原则。

广告设计的真实性应该与广告推销的产品或提供的服务相一致，不能弄虚作假欺骗消费者。真实性必须以产品的客观性为依据，广告设计的动机也必须是善意的、真诚的。广告设计无论如何运用艺术表现方法吸引消费者，产品的内容、质量、服务都必须是真实的、是与商品的自身特性相一致的。而真实性广告最终更能赢得消费者的喜爱和信赖。真、善、美是人类美好的情感，也应该是广告设计传达和遵循的理念。

（三）广告设计的合理性与科学性原则

广告设计的合理性与科学性是广告设计视觉信息传达必须遵循的规律和原则。广告设计通过运用合理的、科学的视觉传达方法，完成广告目标和广告创意的内容。依据广告策略确定广告定位和广告诉求，在广告设计过程中合理地运用和组织色彩、字体、图形、图像的构图安排和表现方法，科学地传达广告设计理念，合理地运用广告设计的视觉规律、听觉规律和消费者购买的心理规律，更多地在字体设计、色彩组合、构图编排、表现形式等视觉传达上吸引消费者，从而达到合理、科学传达广告设计信息的目的。

（四）广告设计的商品性与艺术性原则

广告设计的目的就是有效传达商品信息和树立企业品牌形象，这是由商品广告性质决定的。要准确、清晰、完美地传达广告信息，广告设计要遵循商品性与艺术性完美结合这一原则。通过艺术地传达商品信息和品牌形象，消费者更能从心里接受，从而成为品牌的忠实喜爱者。艺术地传达产品形象和企业形象也是广告视觉信息传达的目的。通过广告设计独特的艺术表达吸引消费者，在消费者心里树立起良好的形象。因为每一项广告活动和每一则广告设计作品，都是对商品印象和企业印象的长期投资，因此广告设计应该很好地遵循商品性与艺术性原则，充分发挥广告设计的艺术感染力和冲击力，以艺术的、原创的、独特的广告设计吸引消费者的喜爱，赢得消费者信赖。艺术性的广告设计可以极大地吸引消费者，大大提升商品和品牌的价值，创造良好的品牌和企业形象。

二、广告设计的基本要求

广告设计从视觉表现的角度来衡量，就是要吸引消费者注意并能准确地传达出广告信息。成功的广告设计在表现上要有强烈的吸引力，文字、色彩、图形要运用合理、恰当，广告设计表现与广告诉求内容有机结合。

广告设计要求：广告创意独特、广告信息传达准确、图形文字简洁明了、设计风格新颖。可以概括为：新、简、明、易。

（1）新：广告创意要新颖、独特，使人过目不忘。

（2）简：广告主题要高度概括精练、简洁清晰、形象典型。

（3）明：广告商品信息、品牌信息要传达明确。

（4）易：广告设计传达要易看易懂、不引起歧义。

优秀的广告设计应该是商品性与艺术性的完美结合，艺术上强调过多，则失去广告信息传达的效果，而全无新意的商品宣传，不仅使广告缺少艺术感染力，更关键的是不能达到吸引消费者的目的。（图5.2.1至图5.2.4）

图5.2.1　广告设计（一）

图5.2.2　广告设计（二）

图5.2.3　广告设计（三）

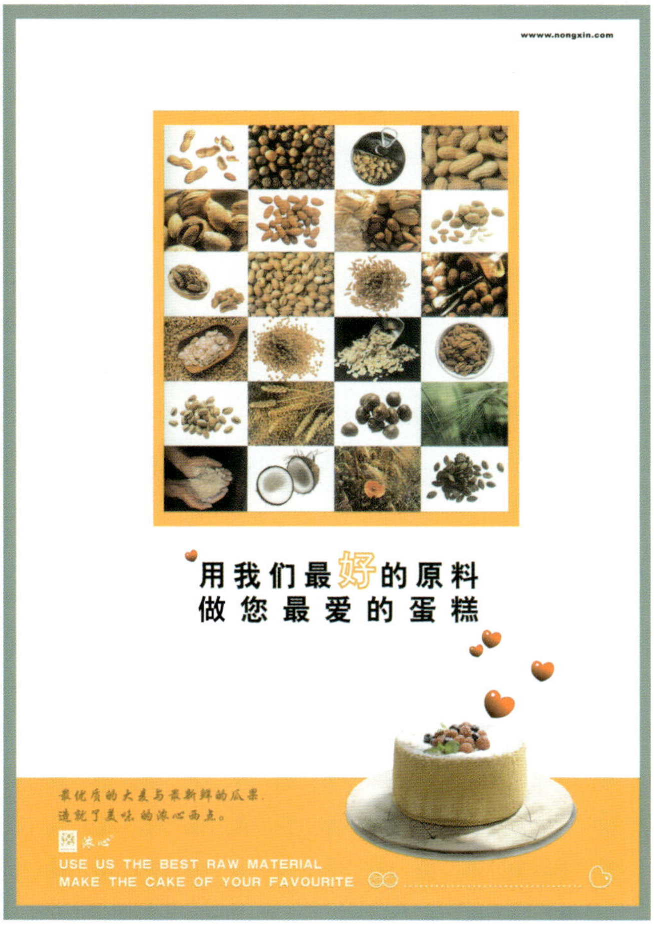

图5.2.4　广告设计（四）

三、广告设计要注意以下几点

（一）创造市场需要，满足消费者心理诉求

广告设计要研究消费者对品牌和商品的心理诉求，把广告设计的表现更好地传达给消费者。广告创造市场需要，满足消费者心理诉求，目的主要是为了能更好地把握消费者的心理欲求，帮助消费者增强对品牌、商品和服务的认识，指导消费者认识品牌和商品的利益点。广告的不断重复，能激发消费者对商品和服务的需求。

（二）创造品牌形象，使消费者记忆深刻

品牌形象和商品形象是重要的价值资源，是消费者对商品品质和品牌感情反映的主要认知，在广告设计中应给予高度重视，它往往成为消费者购买商品的关键。因此，在广告设计中创造品牌形象和商品形象具有十分重要的意义。

（三）创造品牌个性，品牌独具特色

广告设计根据品牌和商品的特性，创造出独具个性的设计表达，体现了广告设计的创新原则。在广告设计中应注重突出品牌和商品的个性，创造出与众不同的、形象鲜明的、独具特点的品牌形象，强化品牌和商品的特异性，给人以不同凡响、超越领先的品牌印象。

（四）创造时尚，引领潮流

广告设计创造时尚，可以满足现代人们一种追求潮流的心理需求。广告设计要针对不同消费者的心理特点，把握时尚具有循环往复的特点。创新是时尚，怀旧有时也是时尚，在时尚热潮之前或之中，掌握好创造时尚、引领潮流的时机，通过广告设计表现出来，营造出一种新的时尚潮流，起到引领时尚潮流的广告效果。

第三节 广告设计方法

广告设计表现方法就是寻找到如何用最准确、最合理、最有效的视觉表现手法将广告创意思想传达出来。好的广告创意，是需要完美的、准确的、生动的广告设计表现完成的，没有好的广告设计表达方法也就不可能设计出优秀的广告。一则优秀的广告设计所传达给消费者的既是品牌和商品信息，又能让消费者获得更大的心理满足，同时广告还带给消费者视觉上的愉悦感。因此，广告创意与广告设计表现方法两者相互统一，在信息传递的完整性上是不能分割的。

一、广告设计构思

广告设计构思是将广告创意具体化和视觉化，是广告设计视觉表现和视觉创造的一个设计创作过程，广告设计构思离不开广告创意的指导和创造性思维的运用。创意思维体现

出的是一种综合素质，包括思维能力、感受力、记忆力、理解力、判断力、观察力、想象力、创造力、表现力等。想象力在创意思维中是最重要的，因为任何艺术设计表达都离不开想象，针对不同的广告创意的要求，充分地发挥想象力和有效地进行设计思维训练，才能激发出构思新颖、表现独具匠心的广告设计作品。

（一）广告设计构思的思维能力构成

（1）思维能力构成

思维能力由基础能力（记忆力、注意力、操作力）、逻辑思维能力（抽象力、概括力、判断力）、形象思维能力（联想力、想象力、审美力）、逆向思维能力、直觉思维能力、意象思维能力、灵感思维能力，以及非智力因素（兴趣、动机、情感、意志、性格）、直觉感知力等能力构成。

（2）思维的模式

抽象思维、形象思维、灵感思维都包含创造性思维。钱学森说："抽象思维比较简单，一步一步推论下去，就如一点到一点……可以说是线型的。而形象思维呢？不是线型的，是多路并进的，不是流水线加工的，而是多路网络加工，所以形象思维是面型的。多了一维，难呀！至于灵感思维就更复杂了，它涉及潜意识多个自我。不单单局限于意识了，显意识一层，潜意识一层或多层。所以灵感思维是立体型的，就更难弄了。"

在广告设计构思中要充分运用和发挥思维能力，拓展思维想象力，实现思维能力在构思创作中的飞跃。

（二）广告设计构思的过程

（1）确立主题、启发想象

构思过程是在广告目标、广告定位和广告创意确立后，对品牌和产品资料进行深入研究创作表达的过程。在构思过程中，要敏锐地抓住主题，将随意想到的、任意创造的图形集中分类、归纳思路、找出重点就容易抓住所要表达思想的某种线索了。构思的过程就是启发独特性、创造性与想象力的过程。重要的是对构思的目标有明确的认识，对于构思来说要有海阔天空的想象力，围绕广告主题进行充分思考，从某种情形或素材中提取合理的、独特的含义或理念，它本身代表的意义须与产品品牌所传达的广告目标相一致。

以广告创意主题形成构思的基本路径，在基本思路的基础上，形成关键性的、浓缩的、鲜明的表达概念。找到符合主题的表现素材，深入发展，在主题素材基础上深化、明确、具体发展成比较完整的构思设计方案。

（2）大胆创新、独辟蹊径

构思的过程就是创造性思维过程，它反映出探寻表达事物本质属性内在、外在的有机联系。构思的第一阶段，首先是运用发散性思维和综合性思维提出问题，开始并没有明确的构思指向，而是运用想象和联想，不限定在以往的思路之中，打开束缚、异想天开，大胆地提出众多设想和构思草图，逐步优化形成设计方案，之后围绕这个创意目标展开，把头脑中已存储的资料重新排列组合，从而提出新的构想。下一步是综合性思维，围绕新构想，分析、综合、归纳各类信息资料，从中寻求完美的解决方案。这一构思过程是由思路一闪的“略图过程”发展到逐步深入的“草图过程”，这个过程是构思资料的收集、分类、整理、分析研究的过程，之后再进一步发展到完善的“完稿过程”，最终构思完成。它将草图转化成正稿，使创意得到延伸和确定。

二、广告设计构图形式

广告设计构图是解决字体、形象、图形、色彩、空间安排的关系，传达好广告创意的意图。广告设计构图就是要根据广告创意的要求，以合理、新颖的方式，敢于打破陈规旧律，善于在别人已司空见惯的东西上做出新的、美的构图安排。

构图的形式有：平行式构图、竖线式构图、中心式构图、散点式构图、绕图式构图、几何形与曲线运用的构图、斜线式构图、网格式构图、自由与动感式构图、强调以图为主的构图、强调以文为主的构图、图文并重的构图等。

（一）平行式构图

平行式构图是最常见的广告设计构图形式，是将文字与图形平行编排，形成平行的排列，使人感觉规整、大方、美观。古典的平行三段式构图，也称三分法构图，是平行式构图的一种。平行式构图是最稳定的构图形式，具有稳定感、秩序感，视觉元素在平行的整体安排下，较容易统一协调，但也要避免平淡无奇。（图5.3.1、图5.3.2）

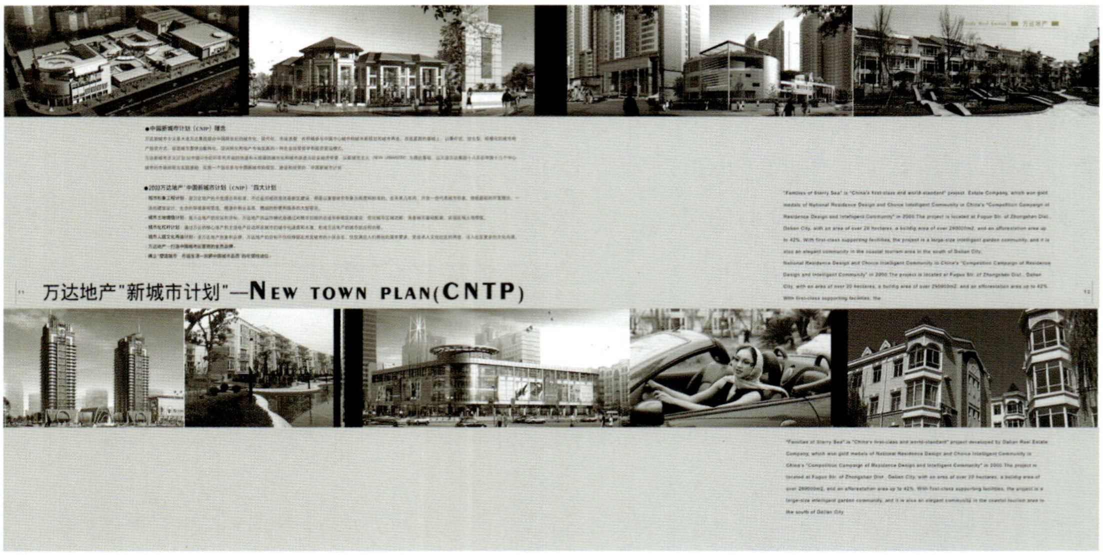

图5.3.1　平行式构图（一）

图5.3.2　平行式构图（二）

（二）竖线式构图

广告设计中竖线式构图是将文字和图形采用竖排式进行构图的形式。这一类构图形式在视觉上有挺拔向上、耸立坚定的感觉，也是设计常用的构图形式。（图5.3.3、图5.3.4）

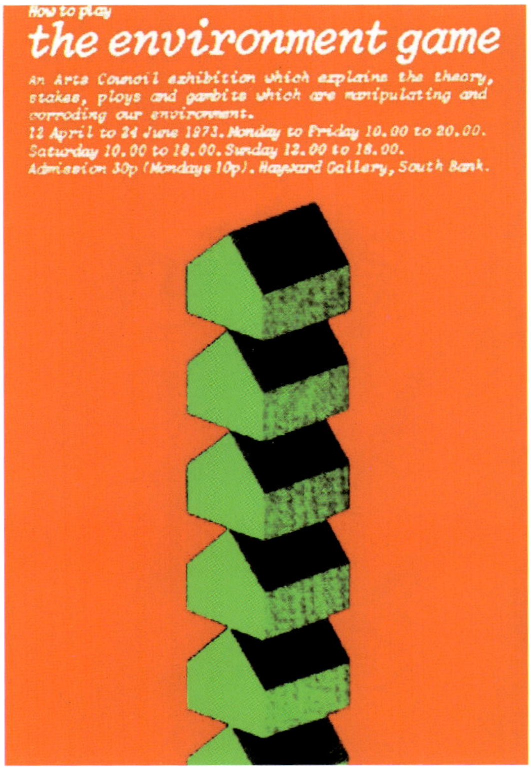

图5.3.3　竖线式构图（一）

图5.3.4　竖线式构图（二）

（三）斜线式构图

斜线式构图是一种强有力的、带有动感的构图形式。斜线式构图有时全部或主要部分斜向左边或右边，构图形成斜线式分割。视线自倾斜角度由上而下或自下而上被引导流动。斜线式构图因具有强烈的动感，文字、图形做到合理安排、动静统一非常重要。（图5.3.5至图5.3.9）

图5.3.5　斜线式构图（一）

图5.3.6　斜线式构图（二）

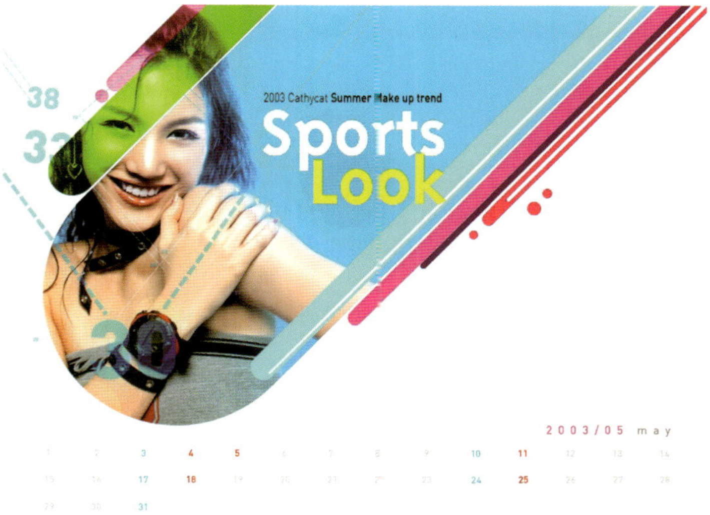

图5.3.7　斜线式构图（三）

图5.3.8　斜线式构图（四）

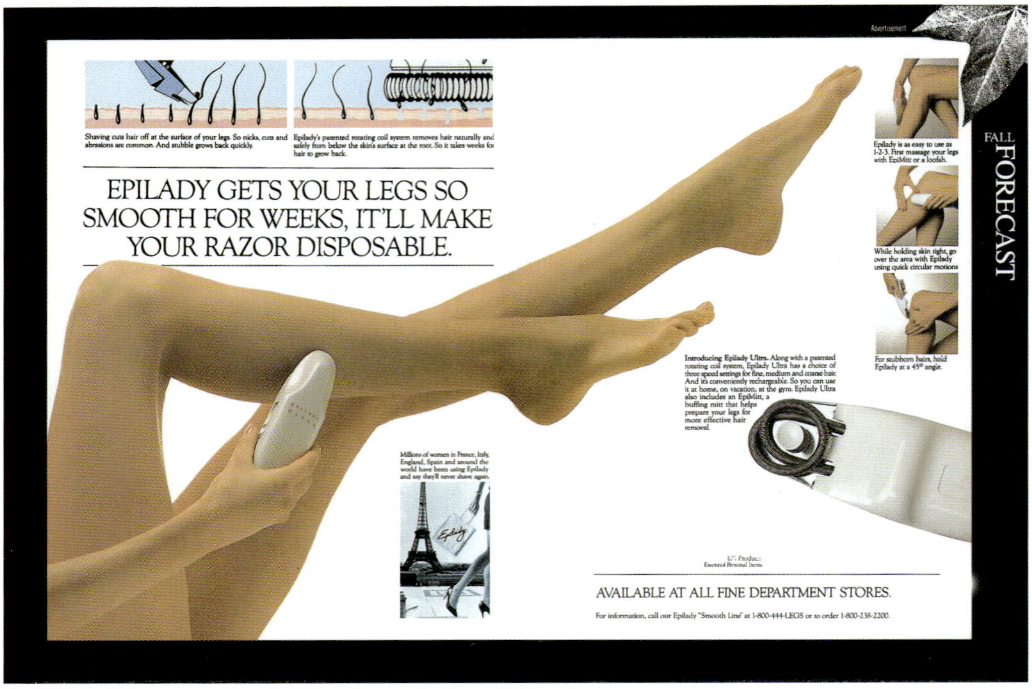

图5.3.9　斜线式构图（五）

（四）十字形、X字形、T字形构图

十字形、X字形、T字形构图是竖线和横线分割形式的构图。十字形构图把画面分成四个部分，由画面中心横竖线交叉构成，构图有一种安全感、庄重感和神秘感。十字形构图也可以横竖线偏离中心交叉构成，以求得构图上的一些变化。X字形构图是移动两条竖线方向，将其变为X交叉形构图，也称为放射形构图，这种构图给人的感觉比较强悍，视觉冲击强烈。T字形构图是竖线和横线顶部相交，构图形式感强，但也显得规整、单调。（图5.3.10至图5.3.14）

图5.3.10　十字形构图（一）

图5.3.11　十字形构图（二）

图5.3.12　X字形构图（一）

图5.3.13　X字形构图（二）

图5.3.14　T字形构图（三）

（五）三角形与A字形、V字形、Y字形构图

三角形构图也称A字形构图，在广告设计构图形式中，三角形构图具有强烈的稳定感，具有很强的视觉冲击力和视觉引导力。当视觉中心以三角形为主要位置时，形成最稳定的

构图形式。三角形构图可以运用正三角，也可以是斜三角或倒三角。V字形构图形成倒三角。V字形构图不稳定，但在西方某些国家的文化中有表示“胜利”的特殊含义。Y字形构图也是字母几何形构图。这几种构图使画面产生了不同的形式效果。灵活地运用三角形构图也能达到动感和稳定相统一的效果。（图5.3.15至图5.3.21）

图5.3.15　三角形构图（一）

图5.3.16　三角形构图（二）

图5.3.17　三角形构图（三）

图5.3.18　三角形构图（四）

图5.3.19　V字形构图

图5.3.20　Y字形构图（一）

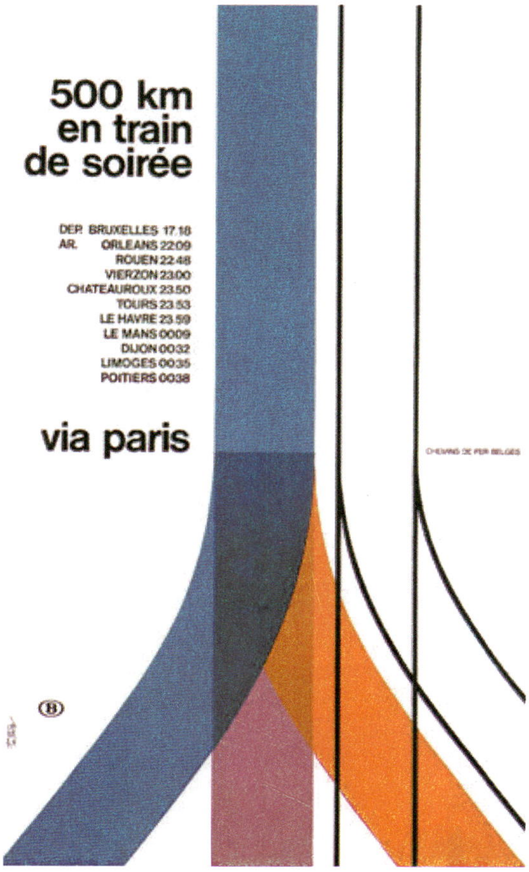

图5.3.21　Y字形构图（二）

（六）弧线、曲线与S形构图

广告设计构图中也常运用弧线与曲线式构图的形式。曲线式构图呈S形，具有扭转、弯曲、伸展、延长、变化、流动的特点，有一种弯弯曲曲飘逸柔性的感觉。在中国画中称之为“之”字形构图，虽然画面曲折变化，但有紧密的内在联系。还有一些折线式曲线构图，虽然不是S形，但也接近S形构图的特性。曲线式构图具有韵律感，使人产生优美、雅致、愉悦的感觉。弧线式构图是半圆形构图，也可以形成C字形构图。广告设计采用弧线与曲线构图形式时，要考虑与广告表现的内容相一致。（图5.3.22至图5.3.28）

图5.3.22　弧线、曲线与S形构图（一）

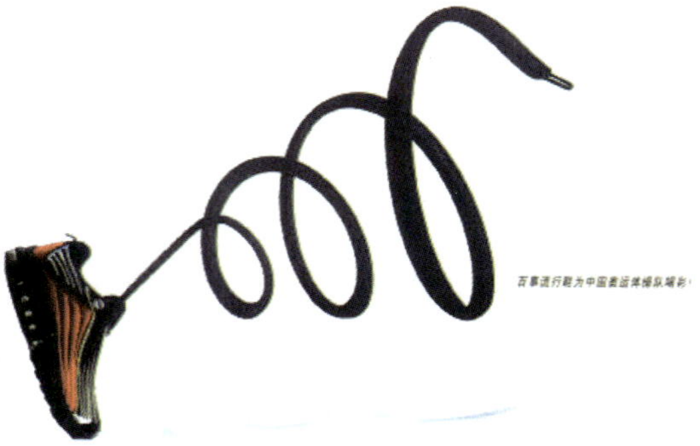

图5.3.23　弧线、曲线与S形构图（二）

图5.3.24　弧线、曲线与S形构图（三）

图5.3.25　弧线、曲线与S形构图（四）

图5.3.26　弧线、曲线与S形构图（五）

图5.3.27　弧线、曲线与S形构图（六）

图5.3.28　弧线、曲线与S形构图（七）

（七）圆形构图

圆形构图以圆形图形、图像或色块形成视觉中心构成。在广告设计构图形式中，圆形构图给人以饱满、丰润的感觉。圆形构图可以形成圆的实形或圆的虚形，圆形构图也可以有很多变化，如大小、虚实、多少、叠加、相连、相切等。圆形构图也可以偏离中心来构图，圆形构图偏离中心方位可以产生变化和动感。（图5.3.29至图5.3.33）

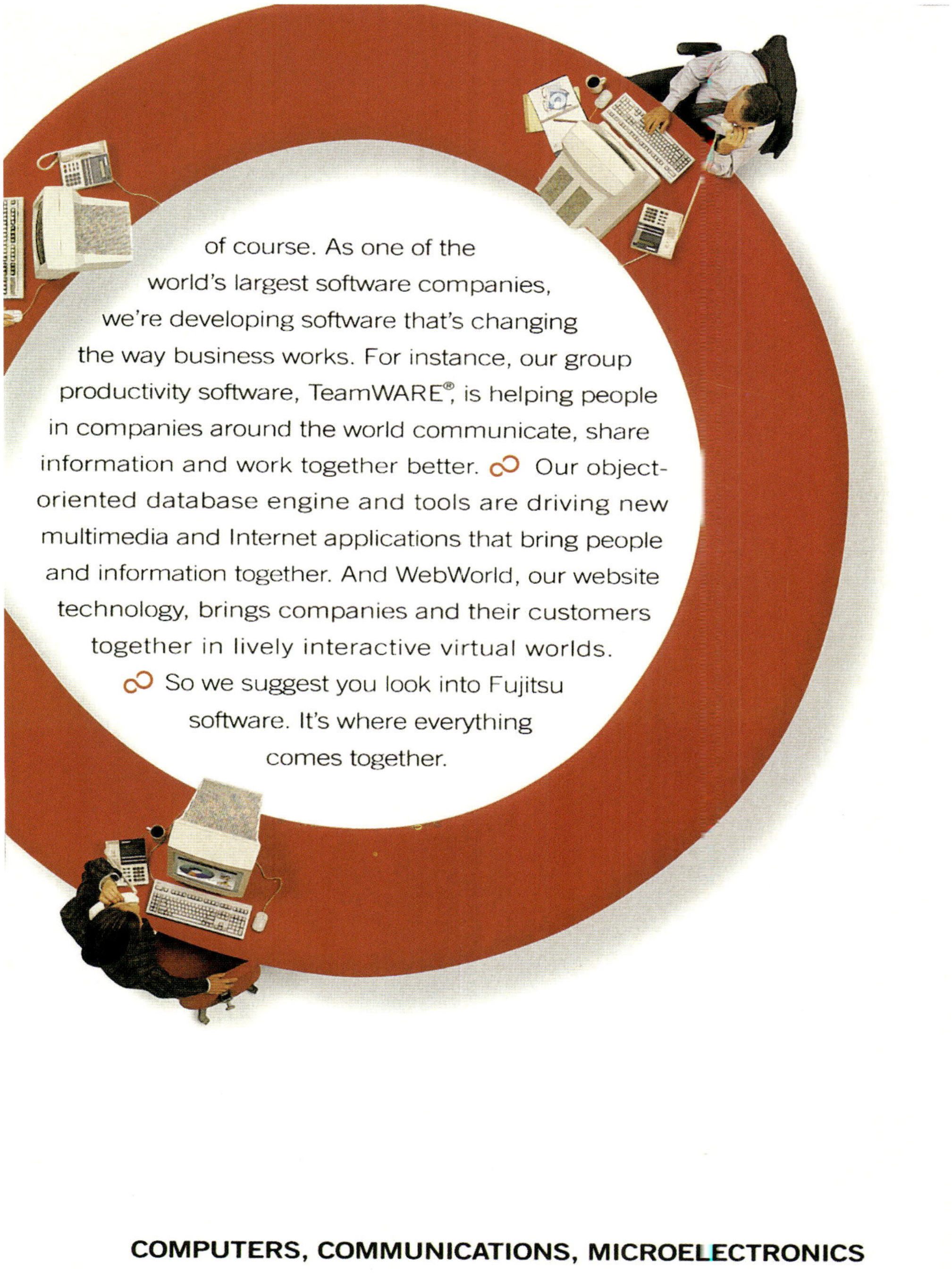

图5.3.29　圆形构图（一）

ONE HUNDRED % BIJAN ©1995
Bijan Fragrance Collection
from $28 to $400
at: Dillard's • Foley's • Robinson's-May
or to order Bijan Fragrances please call 1•800•99•BIJAN
(992 • 4526)
Bijan
women

图5.3.30 圆形构图（二）

图5.3.31　圆形构图（三）

图5.3.32　圆形构图（四）

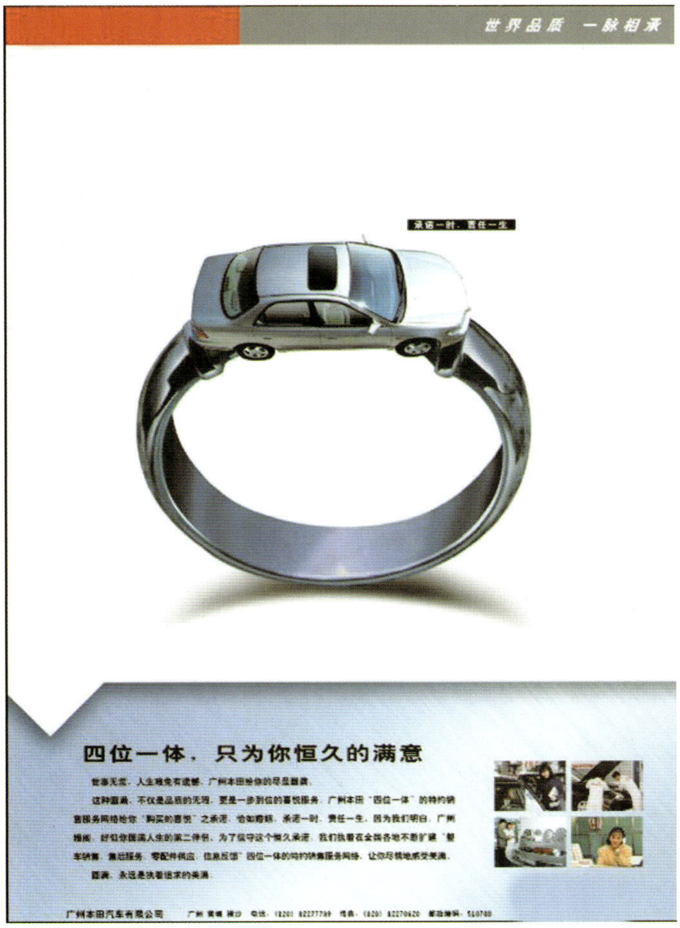

图5.3.33　圆形构图（五）

（八）散点式构图

散点式构图设计一般具有自由、开放和个性化的特点，散点式构图打破规律构图的限制，使设计更趋自由、活泼、新奇、动感。散点式构图更注重情感的抒发，以情达意，与规律、典雅的理性设计构图方式形成了对比。散点式构图看似不经意，但绝不是杂乱无章的。散点式构图同样需要遵循一定的内在规律，以保持设计构图的完整性。散点式构图虽然没有形成焦点，但仍有主次的安排，是散而不乱的，在构图中形成自由的完整统一。（图 5.3.34 至图 5.3.37）

图 5.3.34　散点式构图（一）

图5.3.35　散点式构图（二）

图5.3.36　散点式构图（三）

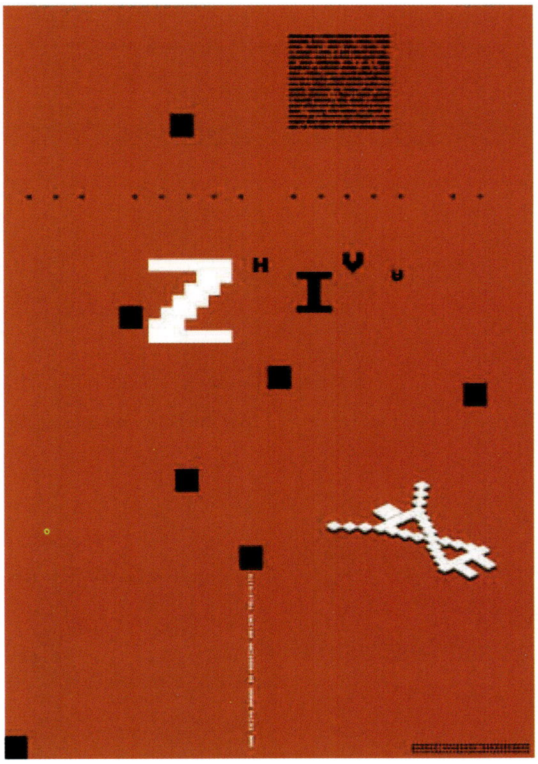

图5.3.37　散点式构图（四）

（九）网格式构图

网格式构图是运用网格整齐规律的特性和视觉清晰的构图形式，形成简洁、明确、规整的视觉传达效果。网格式构图规律，是设计中的一种构图形式，如果运用不当，也会使广告设计构图显得呆板。设计师在统一网格的风格中，也常常进行一些变化或变异的设计，会收到更好的效果。这种方式能使构图更丰富、更富于变化。（图5.3.38至图5.3.41）

图5.3.38　网格式构图（一）

图5.3.39　网格式构图（二）

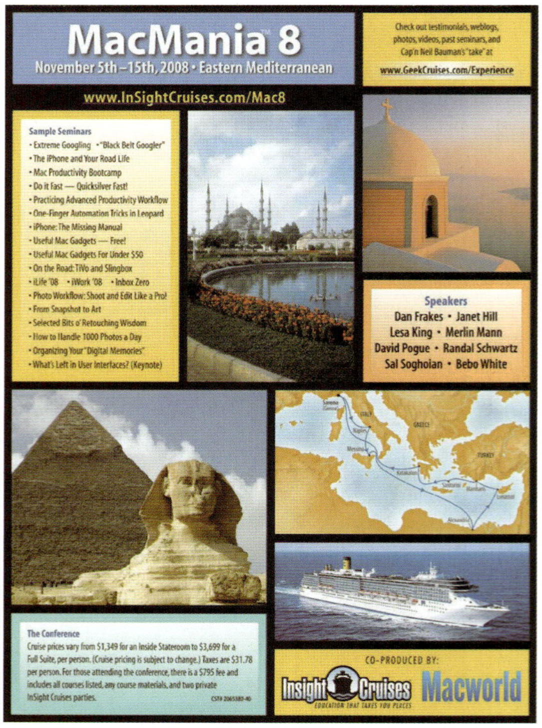

图5.3.40　网格式构图（三）

图5.3.41　网格式构图（四）

三、广告设计版式编排

广告设计版式编排是广告设计的重要组成部分，是广告视觉传达的重要手段。图文编排是通过图文等视觉元素的编排组合，形成强烈的视觉感染力与冲击力，在广告设计信息传达中做到内容与形式的完美统一。编排设计要反映出广告的策略、品牌印象——使读者容易接受广告的信息。“编排设计必须能够便利视觉流程，一定要注意，绝不能有任何地方使读者感到困惑。”

（一）版式编排的视觉中心

在广告版式编排设计上，视觉中心往往是信息传达最主要的位置。一般情况下，画面中心、构图的焦点就是视觉中心。在整个画面中视觉突出的图形也可以成为视觉中心，构图中强烈的对比可以产生强烈的视觉冲击效应。动与静、大与小、黑与白、具体与抽象，色彩等都可以影响版式编排的视觉中心。

（二）版式编排设计的视觉流程

版式编排设计的视觉流程就是视觉流动顺序。视觉流程是由人们的视觉习惯所决定的，在广告版式编排设计中要运用好视觉流程的规律。但也要注意视觉流程是视觉习惯和心理感觉，而不是公式。设计上任何编排都会影响视觉流程，平行式编排可以使人们的视线左右移动；垂直式则使视线上下流动；斜线给人以不安定的感觉。图形大小、方向、排列的不同，色彩对比的强弱等，都会引起视线的改变。视觉流程设计应当是既符合视觉心理顺序，又符合设计创意的信息传达规律，给人以准确、清晰、突出、自然、轻松、流畅的视觉感受。

（1）视觉流程与位置的关系

位置主次关系体现视觉流程的合理性，广告主要信息自然是放在重要视觉位置，包括文字、图形、图像、色彩等信息，次要和辅助信息按视觉流程顺序安排。如画面的左上角是视线的进入位置，从上至下，从左至右地移动视线是最合理的，符合人们的生理习惯。画面中心位置非常重要的，往往形成视觉焦点。

（2）视觉流程与形象的关系

图形和形象是主要的视觉信息，不管其位于画面的哪个位置，都可以成为视觉主体，因此图形和形象的动势、方向、指向也可以引导视线的进程和发展，引起观者的注意。

（3）视觉流程与导向诉求的关系

在广告设计编排中，要传达的信息受形象多、表述多、种类多等因素的影响，容易编排杂乱，有效的方法是借助于文字、标号、图标、图形、图表等有先后信息的符号来引导流程。

视觉流程也是一个视觉层次。这个顺序是由视觉中心的强度所决定的，一般画面中只能有一个最强的视觉中心，其次则是分层次的视觉注意点，以形成整个画面的视觉层次，这是艺术的整体原则，也符合视觉流程与构图编排的关系，即视觉流动的先后顺序与构图的主次关系。

（三）广告设计版式编排的原则

广告版式编排设计要做到广告主题与表现形式的统一，信息传达与编排形式的统一，在编排上注意构图形式和图形、图表、色彩与文字和图表编排的统一，趣味性与独创性的统一，版式编排设计与纸张开型、纸张特性和印刷工艺的统一。

（1）信息内容与版式设计的统一

广告设计的目的是为了更有效地传播广告信息的内容，版式编排设计本身并不是目的，如果版式编排设计风格与主题不相符，会形成单纯的形式表达，而不能达到传达广告设计内容的目的，这也是一些广告设计流于形式的主要原因。一个成功的版式编排设计，首先必须明确广告的目的，并深入了解广告主题，仔细研究与设计有关的信息内容，确定版式编排设计的风格，做到内容信息与版式编排形式的统一。只有做到广告主题鲜明突出，版式编排设计合理、明确、独具特色，才能达到有效传达信息的最终目标。

（2）艺术表现与整体性的统一

准确的艺术表现与版面视觉编排非常重要，也是达到版面最佳诉求效果的体现。设计主题明确后，版面设计表现形式则成为版面设计的核心内容，怎样才能达到艺术表现形式新颖与整体性的统一？这些取决于设计者对文字、图形、色彩等要素的安排以及点、线、面的装饰组合与整体的排列，上述要素的艺术表现整体需要把握统一的设计。运用夸张、比喻、象征等艺术表现手法也要注意版式设计的整体统一。版面设计的艺术表现要服从整体性的设计要求，服从信息传达功能的要求，这样才能做到艺术表现与整体性的统一、准确地信息传达与编排形式的统一。

（3）趣味性与独创性的统一

排版设计中的趣味性，主要是指编排的表现形式，可以是装饰的、寓意的、卡通的、抽象的联想变化，也可以运用点、线、面的形式处理。如果版面本无多少精彩的内容，就要靠制造趣味取胜，在构思中调动艺术手段表现，但这种表现手法也要和信息内容相一致。有趣味的形式更能起到吸引人、打动人的效果。如果所有的版式设计都是单一化与概念化的大同小异，则观者会感到非常乏味，只有敢于思考、敢于别出心裁、敢于独树一帜，才能在设计上出奇制胜、别具一格，形成独具特点的版式设计，赢得观者的欣赏。

（4）版式编排设计与开型、纸张特性和印刷工艺的统一

排版设计的限定性，一是要考虑设计内容的要求；二是要考虑开型、纸张特性和印刷工艺的特点，做到版式编排设计与开型、纸张特性和印刷工艺的完美统一。在一定程度上开型（如异形结构的编排、镂空等）、纸张（如特种纸，金、银纸等）的特性和印刷工艺（如字体或图形的凹凸、特种油墨印刷等）的特点都影响着编排风格和信息的传达，所以版式设计的完美形式也必须做到版式编排与开型、纸张特性和印刷工艺的统一。

第四节 广告设计中的形式规律

一、广告设计的形式法则

广告设计的基本形式法则就是运用视觉设计的形式美的规律。形式美的规律在广告设计和其他艺术门类中都得到普遍应用。所谓形式美规律，就是指造型艺术诸形式要素间普遍的必然的联系。形式法则包括：点、线、面的构成，重复与近似，对比与权衡，对比与调和，渐变与发射，密集与简洁，变化与统一，对称与均衡，节奏与韵律，比例与适度，变形与扭曲，秩序与变异，虚实与留白和格调的美感等。

（一）广告设计中运用点、线、面元素构成

点、线、面是视觉设计的最基本元素，也是广告设计的基础。广告设计中的所有要素都可以根据点、线、面的形式元素，按照广告设计的要求进行视觉处理。如，标志可以形成“点”，文字可以形成“线”，也可以形成“面”，图形或色块可以形成“面”等。点、线、面作为画面构成可以有下面几种方法：

（1）设计中作为辅助画面构成点、线、面或底纹、边框或其他装饰性变化等。

（2）设计中自然形成点、线、面效果，符合形式规律的运用。

（3）设计中对具体图形加以点化、线化、面化处理，即将抽象的点、线、面构成具有图形意义的形象。（图 5.4.1 至图 5.4.5）

图 5.4.1　点、线、面构成

图 5.4.2　点的构成

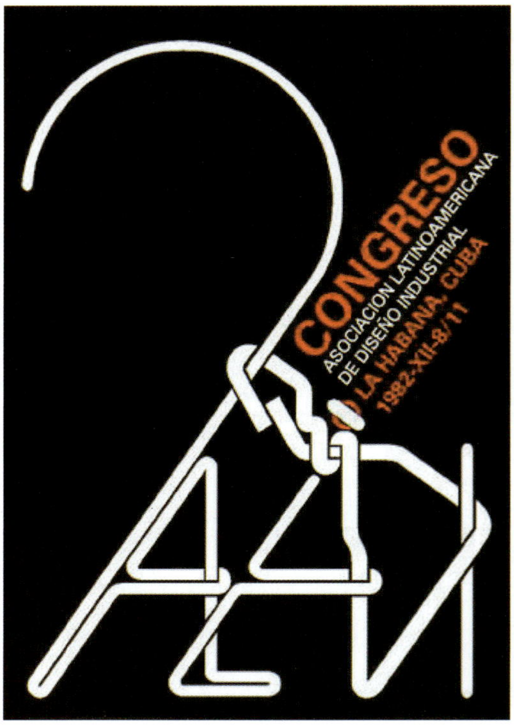

图 5.4.3　线的构成（一）

图 5.4.4　线的构成（二）

图5.4.5　点与面的构成

（二）广告设计中运用重复、渐变构成

在设计中，有时会不断重复使用形或线，它们的形状、大小、方向都是相同的。重复构成使设计产生秩序、整齐、规律的美感。但重复构成也会使画面因缺少节奏感、平淡、

缺乏趣味性的变化而显得呆板。渐变或交错渐变也会产生一种规律的形式美感，在视觉上产生一种规律、整齐、秩序的韵味。不同的渐变形式在视觉上有一种规律的、渐次改变的律动感。（图5.4.6至图5.4.10）

图5.4.6　渐变构成（一）

Algorithmic Beauty
An Approach to The Mathematical Garden by Masaki FUJIHATA 1992

图5.4.7　渐变构成（二）

图5.4.8　渐变构成（三）

图5.4.9　渐变构成（四）

图5.4.10　渐变构成（五）

（三）广告设计中运用对称与均衡构成

对称就是形的左右、上下相等，对称形反映了匀称稳定的美感。两个同一形的并列与均齐，实际上就是最简单的对称形式。对称是同形、同等、同量的平衡。对称的形式有以中轴线为轴的左右对称和以水平线为轴的上下对称。对称的特点是稳定、庄严、整齐、秩序、安宁、沉静。大自然中含有诸多的对称因素，对称形式符合人类对稳定、秩序的精神需要，所以其在设计中是最基本的形式美感规律的表现形式。均衡形式在构图中实际就是在一种等量不等形中做到矛盾的统一，均衡是视觉上和心理上感受到的一种平衡。均衡形式是一种平衡关系，是虚与实、形与色、体与量、动势与稳定等各种反向力达到相互呼应、和谐统一的均衡，其视觉形式特征是要在整体中掌握好重心。均衡关系是各种造型要素表现在视觉上和人们的心理认识上的均衡感，即要达到视觉上的均衡感，更重要的是做到心理上的均衡感。（图5.4.11至图5.4.14）

图5.4.11　对称构成（一）

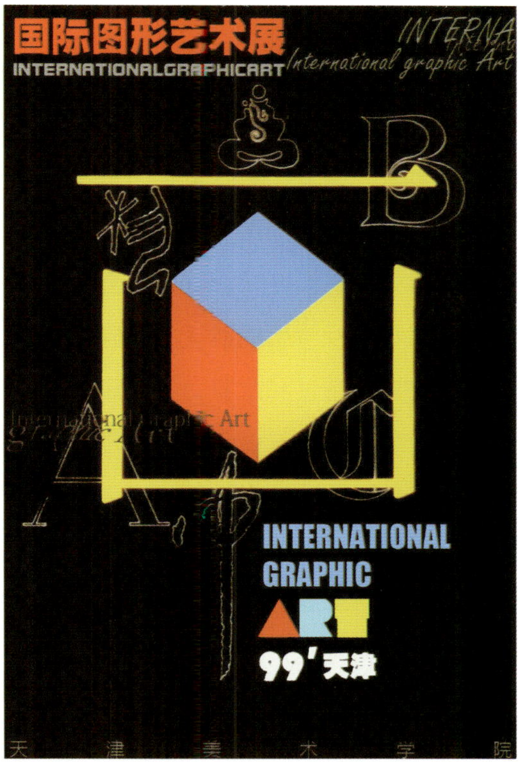

图5.4.12　对称构成（二）

图5.4.13　对称构成（三）

图5.4.14　均衡构成

（四）广告设计中运用变化与统一构成

变化与统一是形式美的总法则，是对立统一规律在广告设计上的应用。两者完美结合，是广告设计最根本的要求，也是艺术表现力的重要因素。变化是为丰富设计表现吸引观者注意，而统一是视觉传达要求，过于变化会影响视觉信息传达。变化与统一结合是设计表现形式的一种智慧，将种种视觉上的跳跃的差异性因素，统一在一致性中，这需要创造性和想象力的表现，在运用变化与统一的规律中可借助均衡、调和、秩序等形式法则。（图 5.4.15）

图5.4.15　变化与统一

（五）广告设计中运用变异与秩序构成

变异是规律的突破，是一种在整体中的局部突变。这一变化，往往是整个设计中最具动感、最引人关注的焦点，达到信息传达的目的。变异的构成形式可根据广告设计目的进行选择，有规律的转移、规律的变异，大小、方向、形状、色彩、特性、类别等的不同构成变异效果。秩序美是设计的灵魂，它是一种规律的美，体现在文字、图形、色彩等的构成上，构成秩序美的形式原理可以是对称、均衡、比例、韵律、多样统一等。在秩序美中加入变异的因素可以获得一种统一中的变化的效果。（图5.4.16、图 5.4.17）

图5.4.16　变异与秩序构成（一）

图5.4.17　变异与秩序构成（二）

（六）广告设计中运用对比与调和构成

对比是在设计中强调差异性，对比的因素存在于相同或相异的性质之间，对比的强度也有强有弱。也就是在相对的两要素互相比较之下，产生大小、明暗、黑白、强弱、粗细、疏密、高低、远近、硬软、直曲、浓淡、动静、锐钝、轻重的对比。对比的最基本关系是强调各自的性质特征。调和是在对比中寻求各自相一致的因素并加以运用，也可以是近似性和某种共性的强调，使两者或两者以上的要素相互具有一定的共同性。对比与调和是相辅相成的。在设计中，一般整体宜调和，局部宜对比。（图5.4.18至图5.4.20）

图5.4.18　对比与调和构成（一）

图5.4.19　对比与调和构成（二）

图5.4.20　对比与调和构成（三）

（七）广告设计中运用节奏与韵律构成

节奏与韵律源于音乐，歌德说“优美属于韵律”，康定斯基说“你看到了什么声音，你听到了什么色彩”这是讲韵律在视觉上的表现。形态的节奏是线、形和色按照一定的规律、秩序、重复连续地排列，形成一种律动的节拍形式。它有等距离的连续，也有渐变、大小、长短、明暗、形状、高低等的排列。节奏在变化中就产生了韵律，韵律就好比音乐中的旋律，不但有节奏，更有情调和意境，使广告设计具有强烈的感染力和艺术表现力。（图5.4.21至图5.4.24）

图5.4.21　节奏与韵律构成（一）

图5.4.22　节奏与韵律构成（二）

图5.4.23　节奏与韵律构成（三）

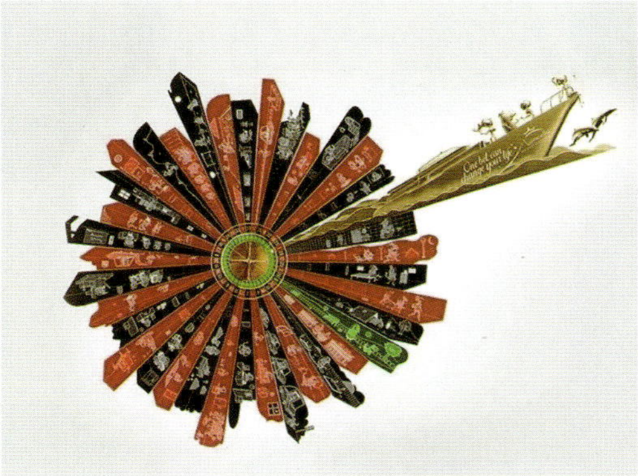

图5.4.24　节奏与韵律构成（四）

（八）广告设计中运用比例与适度构成

比例是形的整体与部分以及部分与部分之间数量的一种比率。比例既有数学的抽象性，又包含不同民族不同文化的艺术认知。如数学中的等差数列、等比数列。希腊艺术中认为最美的比例是黄金比；埃及认为金字塔的比例是完美的；中国认为天圆地方的比例是完美的，如中国天坛。这些比例都与一定的文化传统有关联。适度是设计整体与局部的关系，在一定的比例关系内，人的视觉体验有舒适的感觉，超出正常比例在视觉上会产生新奇、不适、震撼等心理感觉。在设计中运用比例与适度，就是有目的地寻找一种适合的广告设计创意表达。（图5.4.25）

（九）广告设计中运用视错觉构成

人们常说“眼见为实”，实际上视觉中常常产生错觉，有时我们作出判断的视觉经验，同所观察的实际物象特征之间存在着矛盾，当观察者发现自己主观上的把握和观察物之间不均衡时，就产生了某种错觉。错觉是人的生理现象，我们在设计中既要避免产生不利的错觉，又可以利用某些错觉形式，形成一种新奇的和意想不到的视觉效果。把消极因素转变为我们设计中的积极因素，恰到好处地运用错觉现象同样可以产生广告创意的形式美感。视幻觉同错觉一样，也是视觉形态产生的错觉。“光效应图形”就是运用黑白或彩色的几何形体，通过复杂排列、对比、交错、重复、重叠等手法，在视觉上产生强烈的视幻效果。这种错觉现象都可以运用到广告创意之中。（图 5.4.26）

图 5.4.25　比例与适度构成

图 5.4.26　视错觉构成

（十）广告设计中运用分割构成

分割构成也称打散构成，是将图形或物象分割，然后根据设计的目的要求，打散重新组合，形成一种新的视觉效果。分割构成还可以将多种形象按一定的寓意重新组合构成，寓意上可以是关联的，也可以是毫无关联的，形成一种极富寓意的、新奇的组合。分割构成有多种分割形式，变化非常丰富、多样。（图 5.4.27 至图 5.4.29）

图5.4.27　分割构成（一）

图5.4.28　分割构成（二）

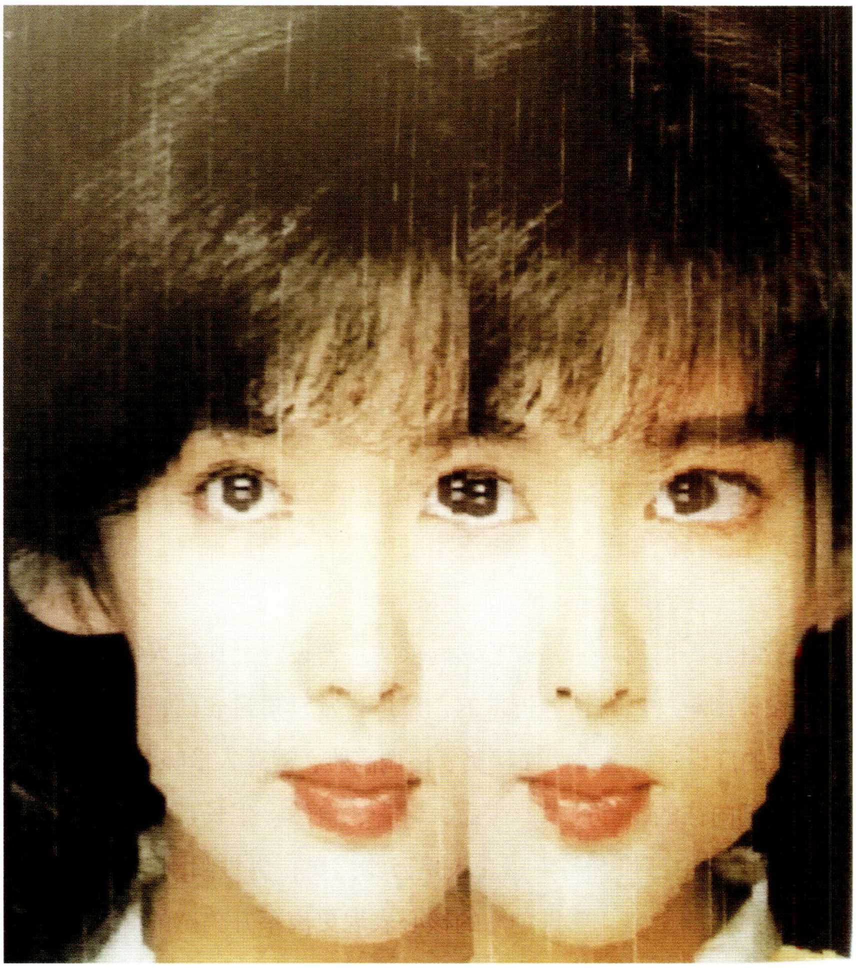

图5.4.29　分割构成（三）

二、广告设计对比手法的运用

在广告设计中，运用对比的方法是一种有效的设计手段，它是设计中的一种基本的形式法则。

（一）形的对比

形有方有圆、有大有小、有实有虚、有平面有立体、有完整有不完整等等。对比形式也有强有弱，强调主次关系的呼应和统一，对比最终还是要求得到统一。对比是手段，统一是目的。不管是运用大统一小、整统一缺还是实统一虚，都是为了使广告设计产生更加完美的效果。

（二）色的对比

任何一种色彩的对比都包含四种基本因素：

（1）色相对比。

（2）纯度对比。

（3）明度对比。

（4）冷暖对比。

这四种对比是色彩对比的基础和前提，假若离开了这些对比关系，就不存在色彩对比，就会形成色彩单调、素朴的效果。只有处理好色彩的对比关系，使设计作品的色彩基调及诸多视觉与心理的对比因素有机结合，才能有效地提高广告的视觉传达效果。

（三）感觉对比

感觉对比是视觉上的心理反映，如轻和重、静和动、刚和柔、快和慢、光滑和粗糙、透明和不透明等。由于人们的认识活动首先是感觉，运用感觉对比更强调广告的内在表现。较常用的有以下几种形式。（图5.4.30至图5.4.33）

（1）动感：动感是设计中表现一种运动或律动的形式。动感可分为势的动感、形的动感和视点分离产生的动感，动感比静感更能吸引关注。

（2）质感："丝润光滑，坚硬粗糙"都是对质感的描述，采用质感对比方法不仅能引起强烈的视觉效果，还能产生独特的审美趣味。没有粗糙就没有细腻，没有坚硬就没有柔软，质感对比更容易在心理留下强烈印象。

（3）情感：情感最容易引起人们的共鸣，有情感诉求的广告设计能抓住人们心灵深处的感受，因此越来越受到设计师重视。有情感诉求的创意广告常常透过表面，带给人们心灵深处的影响，有情感诉求的广告特别注重画面优美、格调高雅，富有人情味和艺术魅力。

（4）美感：美感就是人们向往的审美追求。生命、青春、自然、生长、健康、向上等所有美好的、积极的概念和事物中都包含有美感。人是万物之灵，男性阳刚、女性阴柔，一刚一柔、一阳一阴是自然赋予的美感。广告创意的核心表现更离不开美感的寻求。美感始终是广告呈现感染力和诱惑力的最佳表现手段之一。

图5.4.30 对比构成（一）

图5.4.31 对比构成（二）

图5.4.32 对比构成（三）

图5.4.33 对比构成（四）

第五节 广告设计中字体的作用

在广告设计上字体是重要的创意元素，在设计中发挥着重要作用。广告字体包括印刷字体、文本字体、书法字体、变形字体、装饰字体、创意字体、美术字体、POP字体、Logo字体等。不同的字体、字形适合于不同类型的广告设计安排。

一、广告设计字体的类别

（一）印刷字体

印刷规范字体是指电脑可输出、可编辑的字体，包括中外文字库字体。印刷字体非常丰富，设计师可根据不同的内容要求选用不同风格的字体、字形。

中文常用的字体主要有汉仪字体、方正字体、宋体、仿宋体、黑体、楷书、隶书等。为了使标题达到醒目的效果，又出现了粗黑体、综艺体、琥珀体、粗圆体、细圆体、POP广告体以及创意美术字等。拉丁字体常用的字体有古罗马体、现代罗马体、波多尼体、迪多体、加拉蒙体、卡斯龙体、无饰线体、海报体以及微软字体等。广告设计中字体选择要根据设计内容确定，字体选择不宜过多，字体过多会产生零乱从而缺乏整体效果。对印刷字体，在设计方法上，根据设计要求可加粗、变细、拉长、压扁、变形等，或可以调整行距、字距或变化字体大小、方向、位置等，产生丰富的视觉效果。（图5.5.1至图5.5.3）

图5.5.1　波多尼体

图5.5.2　迪多体

图5.5.3　现代主义字体中最为通行的三种字体

（二）创意字体

创意字体在广告设计中运用得非常广泛，该方法是将特定文字进行个性化处理，文字内涵特质通过视觉化的表现、创意性的构成、内在意蕴与外在形式的融合达到字体创意提升感染力的效果。创意字体的使用，一种方法是通过丰富的联想和运用各种设计手法达到形义统一的效果；另外一种方法是不以具象形字体穿插配合，而是单纯以笔画的多与少、大与小、有与无、增与减等，以及空间结构的配合进行灵活变化，抽象地传达文字内涵。创意字体也给Logo设计和图形创意赋予新的途径。（图5.5.4至图5.5.6）

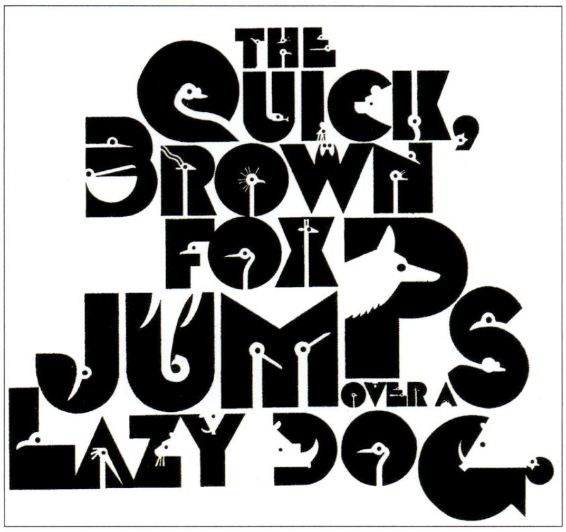

图5.5.4　创意字体（一）

图5.5.5　创意字体（二）

图5.5.6　创意字体（三）

（三）书法字体

书法字体是中国独有的艺术表现形式。中国的书法艺术历史源远流长、意境深远。汉字书法字体运用在广告设计中具有独特的韵味和效果，汉字的形、意和书写性特征的完美结合具有视觉传达的特殊美感。书法艺术也深深地影响了日本、韩国等国家，书法字体在广告设计中也运用得非常广泛。（图5.5.7）

图5.5.7　书法字体

二、广告字体设计原则

（一）字体的适合性

文字传播信息的功能是字体设计最基本的要求。字体设计还要服从广告主题的要求，字体要与广告内容和设计形式相一致，不能风格不统一，更不能相互冲突。字体设计要符合准确传达信息给消费者的要求，这是字体设计的原则，否则字体设计将失去传播信息的功能。

（二）文字的可识性

文字的可识性要求字体设计给人以明确、清晰的视觉印象。无论字体设计多么富于美感，如果失去了文字的可识性，这一设计无疑是失败的。文字识别符号是规范的，在进行文字设计时，不管如何发挥创意，都应以易于识别为宗旨，使字体设计易认、易记、易懂。对字形做较大变化时一定要符合文字规律，避免零乱繁杂，同时减去不必要的装饰变化。

字体设计的根本目的是为了更好、更有效地传达信息。字体的字形和结构也必须清晰，要恰到好处地变动字形结构、增减笔画。不能单纯追求视觉效果，这样就失去了文字的基本功能。

（三）字体设计的视觉美感

字体设计的可识性与视觉美感要做到合理的统一，字体作为画面主要的形象构成要素，在视觉设计上必须具有美感，使观者产生愉悦的心理情感。视觉美感要能满足消费者的审美需求和提高人们的审美品位，这也是每一个设计师的责任。

在字体设计中，美不仅仅体现在局部，而是对笔形、结构以及整个设计的把握。文字是由横、竖、点和圆弧等线条组合成的形态，在结构的安排和线条的搭配上，怎样协调笔画与笔画、字与字之间的结构关系，同时强调节奏与韵律，创造出更富表现力和感染力的字体，是字体设计的重要内容。优秀的字体设计能让人过目不忘，既起到传递信息的功效，又达到视觉审美的目的。

（四）字体设计的个性

字体设计要突出广告主题的个性特征，创造与众不同、独具特色的字体，给人以别开生面的视觉感受，使人过目不忘、记忆深刻。独创性永远是设计的灵魂。在设计时要避免与已有的一些设计作品的字体相同或相似。在设计特定字体内容时，一定要从字体的形态特征与整体的组合编排上进行研究，不断修改、反复琢磨，这样才能设计出富有个性的字体。

三、广告设计字体要求

（一）字体整体风格的统一

整体风格的统一是字体设计的重要准则。没有统一风格，就不能清晰准确地传达文字信息，设计也会给人混乱的感觉，字体设计变化必须有统一的风格，否则必将破坏字体的整体美感，让人感觉杂乱无章、不成体系，这样就难以收到良好的视觉效果。（图5.5.8）

图5.5.8　字体整体风格的统一

（二）字体笔画的统一

字体笔画的粗细要有一定的规格和比例。在进行文字设计时，同一字内和不同字间的相同笔画的粗细、形式应该统一，不能使字体因变化过多而丧失了整体的均齐感，使人在视觉上感到不舒服。字体笔画的粗细是构成字体整齐均衡的一个亘要因素，也是使字体在统一与变化中产生美感的必要条件，只有认真掌握这条准则，才能使字体设计取得成功。字体笔画的粗细一致与字体大小的一致类似，不是绝对的，因为其中有一个视觉修正的问题。例如汉字中的全包围结构的字，就不能绝对四边顶格，否则会感到它比周围其他的字大，若往里适当地收一下，在视觉上就会感到与周围的字一样大小了。一组字中，横笔画多的字，要作必要的笔画粗细调整才会均齐美观，与其他字统一。（图5.5.9）

图5.5.9 字体笔画的统一

（三）字体方向的统一

方向的统一在字体设计中有两层含义：一是指字体自身的斜笔画处理，每个字的斜笔画都要处理成统一的斜度，不论是向左或向右斜的笔画都要以一定的倾斜度来统一，以加强其统一的整体感。二是为了造成一组字体的动感，往往将一组字体统一做有方向性的斜置处理。在做这种设计时，首先要使一组字中的每一个字都按同一方向倾斜，以形成流畅的线条；其次是对每个字的笔画处理，也要尽可能地使其斜度一致，这样才能在变化中保持同一的因素，增强其整体的统一感。（图5.5.10）

图5.5.10 字体方向的统一

（四）字体空间的统一

字体的统一不能仅看到其形式、笔画粗细、斜度的一致。空间统一产生的美感往往还需要字体笔画空隙的均衡来决定，也就是要对笔画中的空间做均衡地分配，才能形成字体的统一感。文字有简有繁、笔画有多有少，字体设计时需要注意一组字空间上的大小所形成的视觉上的统一。（图5.5.11）

图5.5.11 字体空间的统一

四、广告设计字体表现方法

（一）广告字体设计方法

装饰字体的表现方法，是将文字的全部或一部分进行装饰变化，表现出字体的一种“体势美”与“情态美”。装饰字体有很强的实用性。装饰字体方法古已有之，如古文字“鸟虫书”笔画模仿鸟虫的造型，字体构思灵巧，就是一种古文字时代的装饰字体。还有盛行于唐代的“飞白书”也是古代的一种装饰字体。在民间流传的蝌蚪文、剪纸字等，都是字体设计可贵的遗产。装饰字体在拉丁文字历史上有花体字，其字母有装饰性、图案性变化，具有典雅华丽的古典风格。

（1）字体形状装饰

即字体形状装饰变化。汉字的结体以方块形态表现，但每个单字的外形构成，又有不同的变体形式，如长方形的“国、同、回”、三角形的“八、上、下”、菱形的“令、个、今”、六角形的“永、水、术”、梯形的“旦、点、晶”等字体形式。拉丁字母是几何形构成，有方、角、圆等形态。在设计中可视具体的文字外形特点加以强调或变形安排，从而获得具有视觉张力的效果。（图5.5.12、图5.5.13）

图5.5.12　字体形状装饰（一）

（2）字体背景装饰

即在字体设计的背景上进行装饰处理。主要是为了烘托表现字体。这里注意背景只是起到装饰作用，决不能与主体文字相抢眼，更不能画蛇添足或喧宾夺主，以免起到相反的作用。（图5.5.14）

（二）字体笔画的连接方法

即通过笔画的连接，使字体有机关联，字体变成一个整体。可以把相同部位的笔画一贯到头，也可以把相邻的字互相连接，使字形完美，字意富于联想。（图5.5.15）

（三）字体笔画的重叠方法

字体笔画重叠可以是字体的重叠，也可以是笔画的重叠。重叠的目的是为了产生层次感。要注意的是笔画重叠不能混乱，要做到使人容易识别。（图5.5.16）

图5.5.13　字体形状装饰（二）

图5.5.14　字体背景装饰

图5.5.15　字体笔画连接的方法

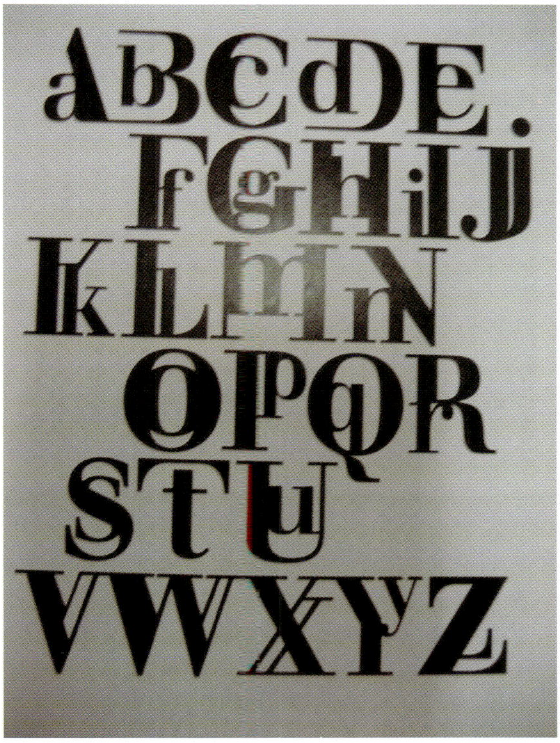

图5.5.16　字体笔画的重叠方法

（四）字体立体透视方法

字体立体透视是利用字体的投影或透视原理，表现出文字的立体空间效果，能产生字体立体突出醒目的视觉效果。（图5.5.17、图5.5.18）

（五）字体设计运用构成原理

即字体设计运用构成的形式原理。如，重复、变异、

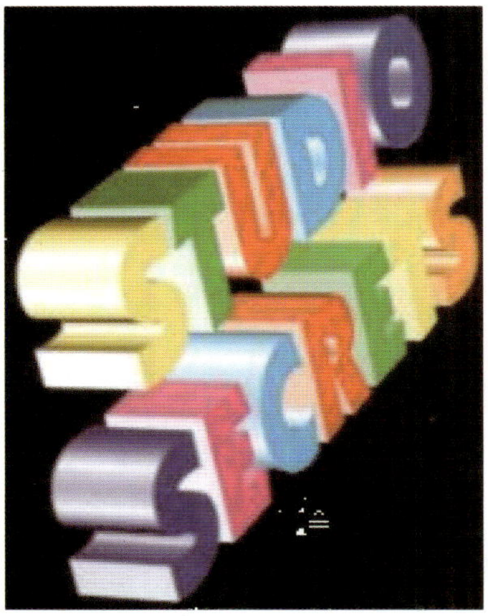

图5.5.17　字体立体透视方法（一）

图5.5.18　字体立体透视方法（二）

发射、正负形、矛盾空间等原理，将构成形式原理运用在字体设计中，能产生新的视觉效果。（图5.5.19）

图5.5.19　字体设计运用构成原理

（六）现代字体设计实验

现代字体设计实验融会了现代艺术表现的方法，如抽象艺术、图形设计和构成艺术的处理形式等，成为极富现代魅力的字体设计表现样式。字体造型可以繁化、简化、夸张、变形、肌理、色彩、构成、材料及装饰处理等，都是现代字体设计实验创作的重要元素。（图5.5.20至图5.5.22）

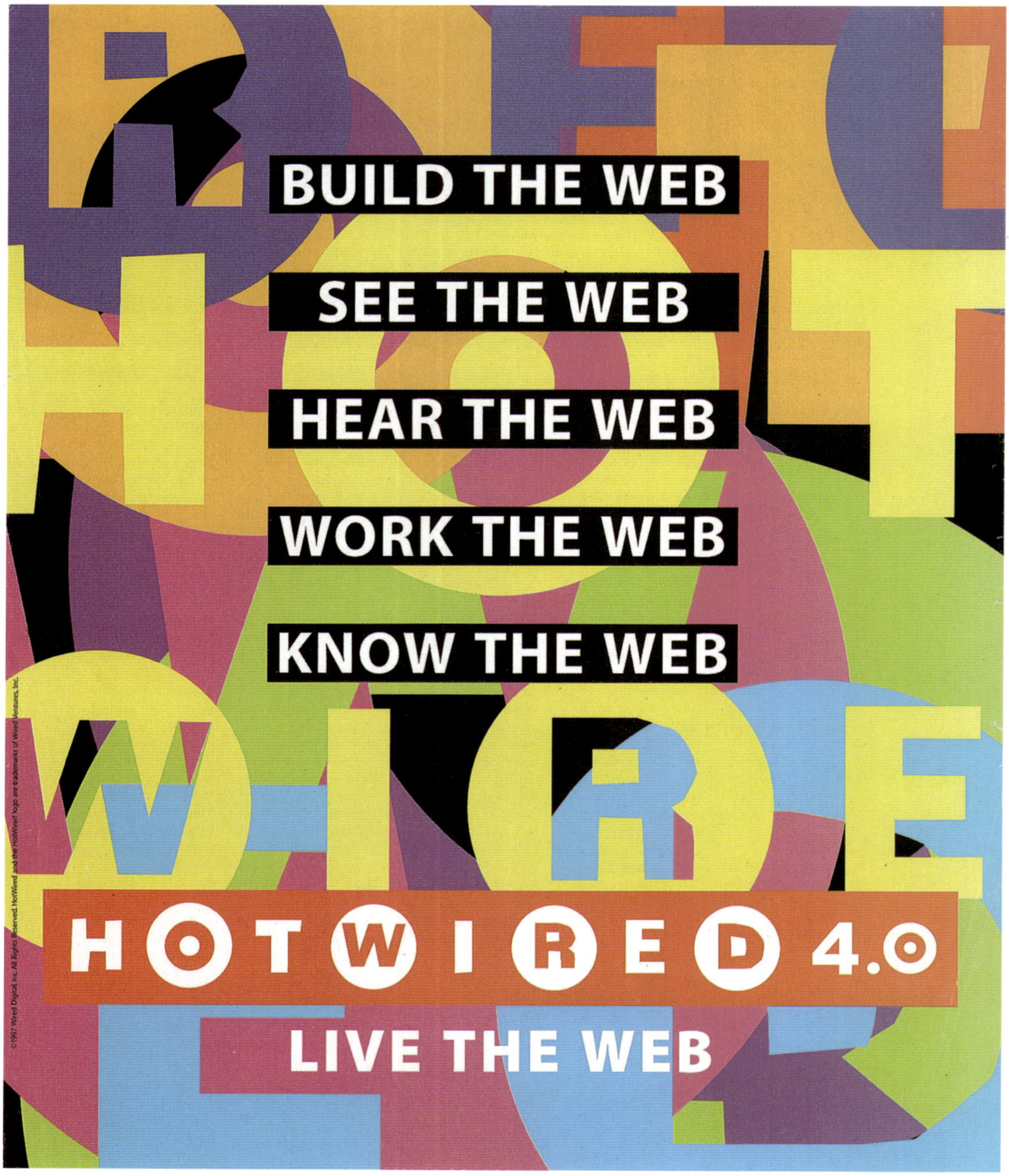

图5.5.20　现代字体设计实验（一）

图5.5.21　现代字体设计实验（二）

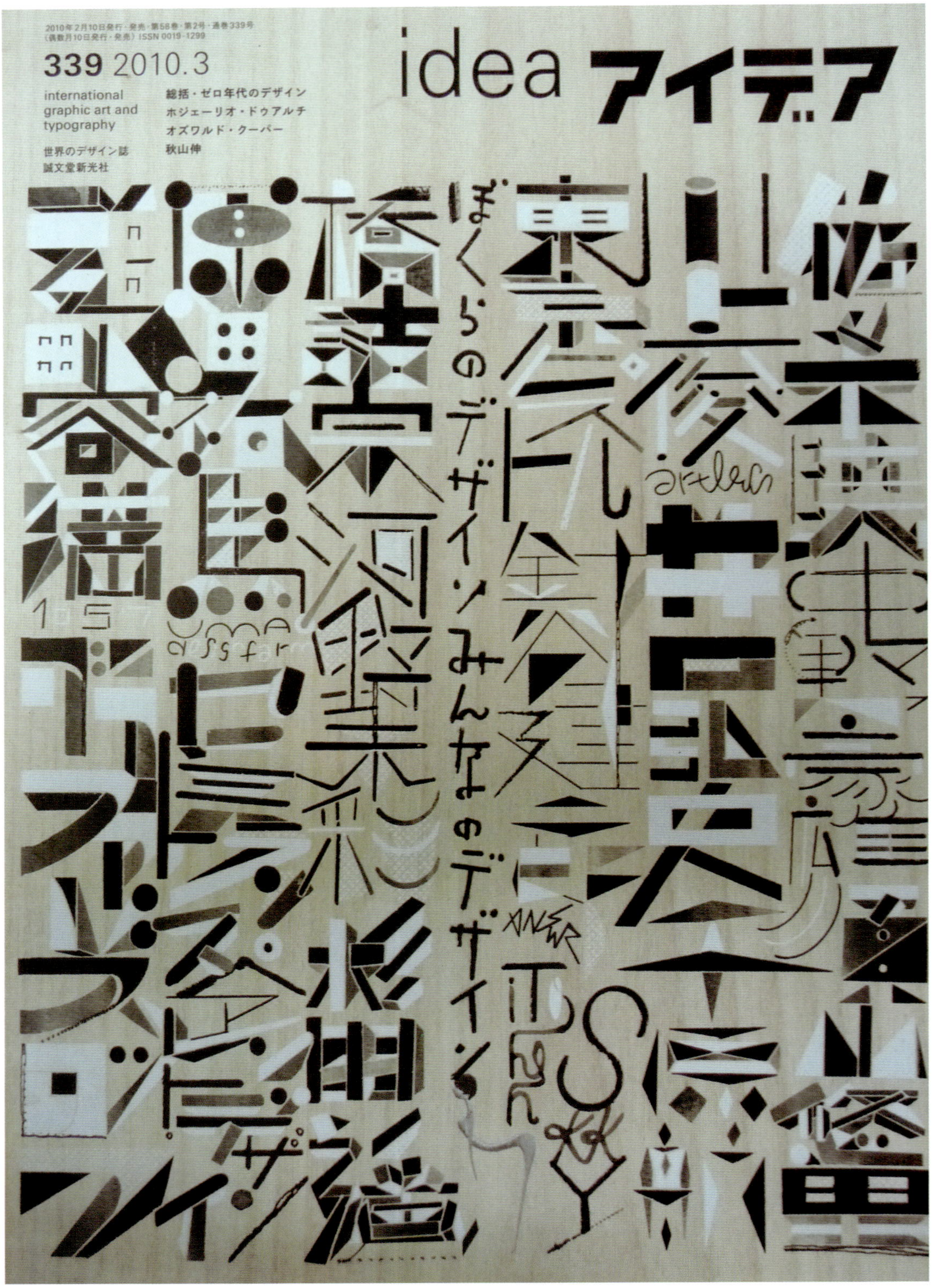

图5.5.22　现代字体设计实验（三）

（七）运用计算机设计字体

运用计算机设计软件进行更为复杂和抽象的字体设计能产生意想不到的新奇效果，其特点是变化的不可预见性、偶然性等，可形成强烈的视觉冲击效果。其字体可以是复杂的、透明的或肌理的，色彩上可以是互相衬托、忽隐忽现、虚实变化的，也可以是对比强烈或柔和统一的。总之，利用计算机特有的语言进行字体设计处理，会使字体产生一种“电子感”“机械感”“幻象感”，字体设计效果极富数字化、信息化的时代特征。（图 5.5.23 至图 5.5.25）

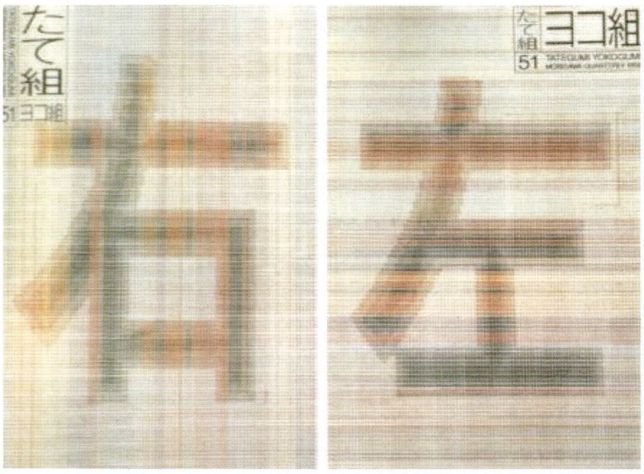

图 5.5.23　运用计算机设计字体（一）

图 5.5.24　运用计算机设计字体（二）

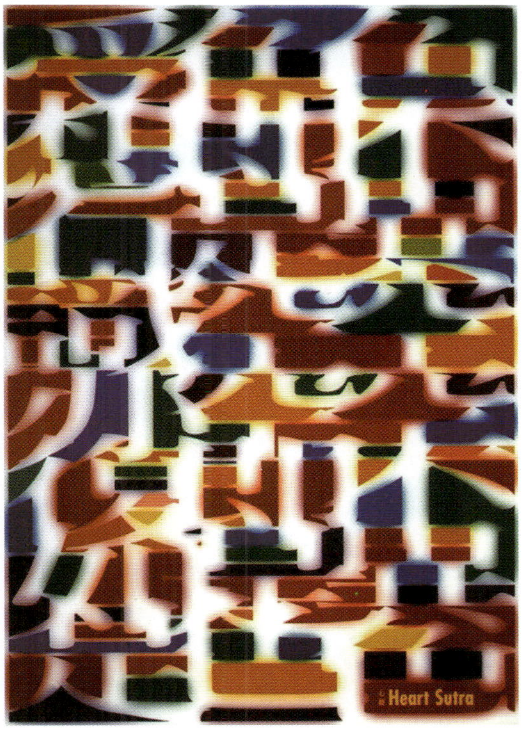

图 5.5.25　运月计算机设计字体（三）

五、广告字体创意设计

创意字体设计特点是将特定文字的个性化品格和内涵，通过字体的创意来表现。创意性的字体构成，通过内在意蕴与外在形式的融合传达其独特的感染力。

创意字体设计通过丰富的联想和运用各种设计手法达到形与义的统一。再者其字体不以具象形穿插配合，而是以单纯笔画的多与少、大与小、有与无、增与减及空间结构的配合进行灵活的设计变化，抽象地传达字体的内在含义。

（一）同质同构设计

同质同构设计是指在字体设计中利用字体的外形特征，以另一物象的特性把字意和字形创意传达出来。（图 5.5.26）

图 5.5.26　同质同构设计

（二）字意形象化设计

字意形象化构成设计是指在字体设计中，借用文字本身的含义特征，用形象化的方法将所要传达事物的属性表达出来。与同质同构设计不同的是，它用的形象表现是文字的本意。（图 5.5.27）

（三）形意同构设计

形意同构设计是把包含有形和意的两类图像同构起来，利用含义的相似和形式的相似进行双重构成。这种同构不仅具有视觉冲击力，而且具有很强的心理效应。（图 5.5.28）

图 5.5.27　字意形象化设计

图 5.5.28　形意同构设计

（四）文字的手写性设计

手写文字设计是将字体进行个性化的演绎，它不同于规范的印刷字体。手写性字体有着一种自由的感觉和个性色彩，具有不可模仿的随意性和独特的视觉优势。这些字体所传达信息的内涵或喜庆、或庄重、或轻松、或是抒发感情。手写性字体自由的表现手法总能激发出无限的灵感和创意。

手写方式表面上具有自由性，但作为一种应用字体设计，它同样必须符合字体设计的造型法则和视觉规律。设计上可以强调手写特有的亲切感、真实感，也可以与图形、色彩要素结合运用。

形式自由的手写体与招贴设计、品牌设计等结合可以取得非常好的视觉效果，例如在整体的文字中，单个汉字或字母中增加书法字体可以丰富设计的生动感觉。在欧洲早期的手稿或羊皮纸中发现的书法手迹，都采用鲜亮的颜色进行奢华的装饰和设计，这在当时的社会中具有很高的地位。规范标准的印刷字体与书法笔触的结合，产生自由且个性化的造型，能将文字的魅力尽情表现。

（1）传统书法形式设计运用

中国的书法历史源远流长，意境深远。在设计中使用汉字书法字体能产生具有特定韵味的效果。不同的书法字体有自己的结构、形式和特点。在字体设计中恰当地运用可以拓展设计的表现力。不同书体的运用要与设计内容结合起来。（图5.5.29）

（2）现代书法设计实验

现代汉字书法设计继承了传统书法艺术的基本方法，又融会了字体设计、抽象艺术、图形设计和构成艺术的处理形式，以字传意，成为汉字书法图形极富现代风貌与魅力的表现样式。在具体设计中，书法设计造型根据内容要求可以繁化、简化、夸张、变形、笔墨、笔触、墨韵、肌理、色彩、构成以及材料、装饰等方法进行设计，也可以在多种书法风格和书体中选择。这些都构成了书法字体设计变化与创作的重要元素。（图5.5.30）

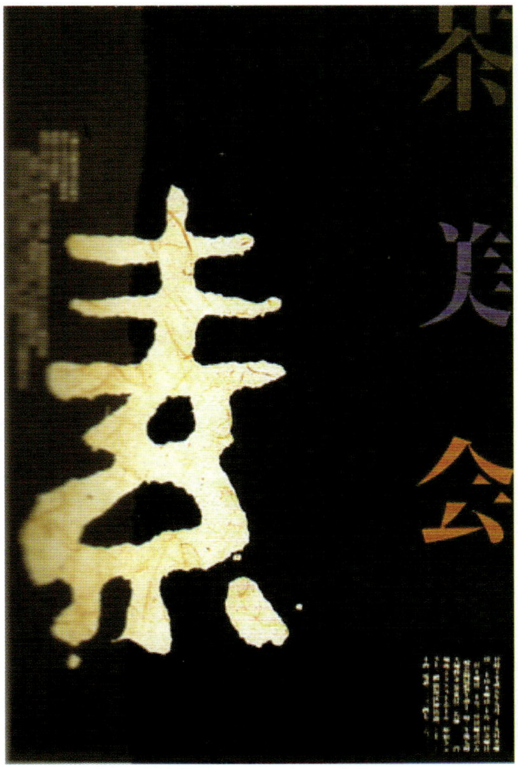

图5.5.29　传统书法形式设计运用

图5.5.30　现代书法设计实验

（五）字体设计的应用

广告字体设计以广告目的为原则，字体设计不必也不应受到方法的局限。很多时候，在设计风格上、表现方法上可以互相借鉴，最终达到广告设计要求的字体创意目的。（图5.5.31至图5.5.47）

图5.5.31　字体设计的应用（一）

图5.5.32　字体设计的应用（二）

图5.5.33　字体设计的应用（三）

图5.5.34　字体设计的应用（四）

图5.5.35　字体设计的应用（五）

图5.5.36　字体设计的应用（六）

图5.5.37　字体设计的应用（七）

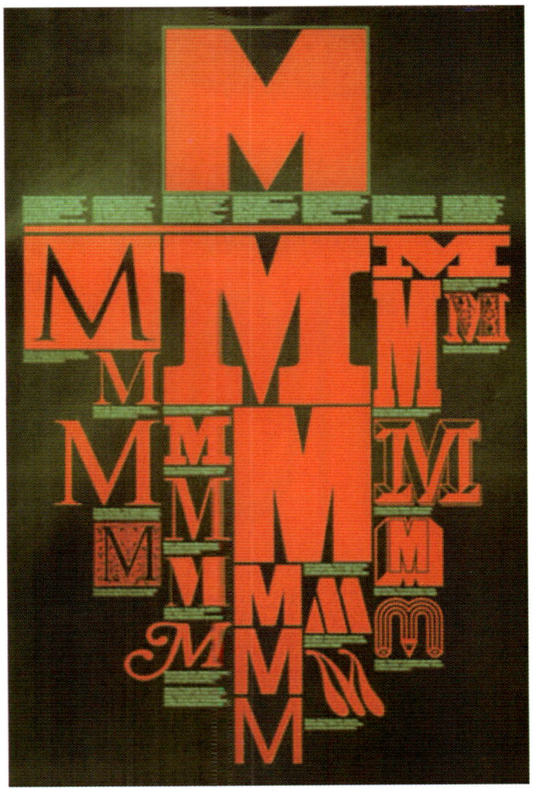

图5.5.38　字体设计的应用（八）

第5章
广告设计原理

图5.5.39　字体设计的应用（九）

图5.5.40　字体设计的应用（十）

图5.5.41　字体设计的应用（十一）

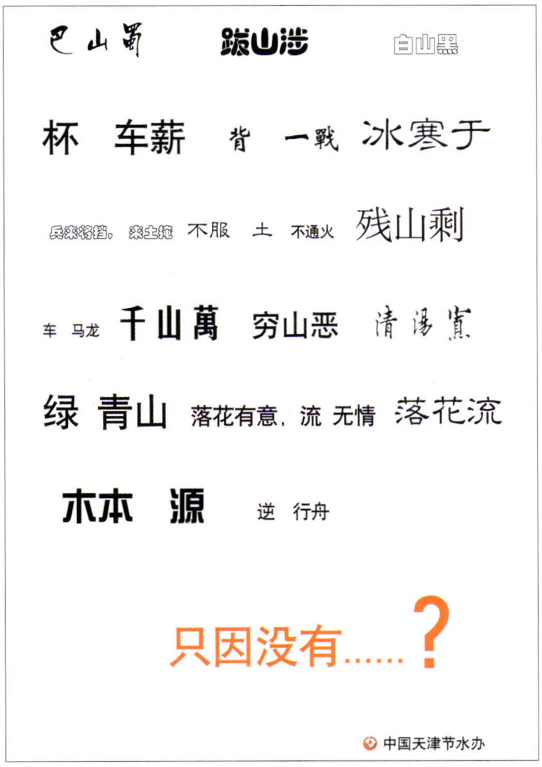

图5.5.42　字体设计的应用（十二）

图5.5.43　字体设计的应用（十三）

第5章
广告设计原理

图5.5.44　字体设计的应用（十四）

图5.5.45　字体设计的应用（十五）

图5.5.46　字体设计的应用（十六）

图5.5.47　字体设计的应用（十七）

六、广告设计字体风格

字体设计风格是指字体设计具有的独特的艺术气质和品味。字体设计风格有简洁沉稳、端庄秀丽、活泼清新、形式创新、朴素方正、浪漫优美、刚毅粗犷、稳重挺拔，此外还有怀旧型、严肃型等多种情感类型的风格。字体设计风格形式既包括抽象美，又包括形象美，也包括抽象与形象相互结合协调统一的美。

（一）秀丽柔美风格

字体设计风格优美清新、线条流畅，给人以华丽柔美之感，此种类型的字体设计适用于女性化妆品、饰品、日常生活用品，服务业、文化产业等主题。（图5.5.48）

（二）稳重挺拔风格

字体设计造型规整、富有力度，给人以整齐、规律、挺拔的现代感，有较强的视觉冲击力，这种个性的字体适合于机械、科技、建筑、房地产等主题。（图5.5.49）

（三）活泼有趣风格

字体设计造型生动活泼，有鲜明的节奏韵律感，色彩丰富明快，给人以生机盎然的感受。这种个性的字体适用于儿童用品、运动休闲、时尚文化产品等主题。（图5.5.50）

（四）苍劲古朴风格

字体设计朴素无华，表现传统古韵之风，带给人们一种怀旧感觉，这种特性的字体适用于传统产品、民间艺术品、收藏等主题。（图5.5.51）

图5.5.48　秀丽柔美风格

图5.5.49　稳重挺拔风格

图5.5.50　活泼有趣风格

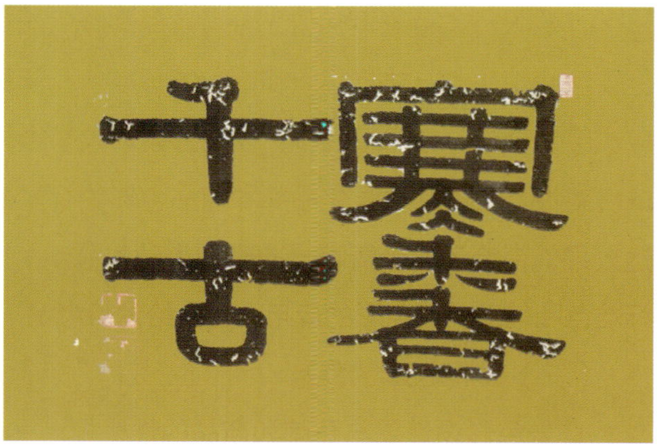

图5.5.51　苍劲古朴风格

第六节 广告设计中色彩的应用

色彩是广告设计中吸引消费者的重要视觉元素，也是视觉传达中最为敏感的信息，是产生视觉冲击以及艺术感染力的重要源泉。现代广告设计中尤其是商业广告，更注重广告信息给消费者带来的视觉和心理冲击，更注重激发消费者对品牌和商品的热情，而色彩最具有吸引消费者注意力的功效。通过运用色彩的色调、对比、联想等形式，突出强调品牌与商品的格调与档次，真实地反映商品个性，设计出广告主题，形成形象鲜明、色彩完美的艺术表现形式，引起消费者从视觉到心理的积极反应。

一、色彩在广告设计中的重要作用

色彩是广告设计表现的一个重要环节，色彩影响人们的视觉和情感。对于不同的品牌和不同商品类别、档次的广告设计，以及不同诉求表达方法的广告设计，色彩运用得是否恰当往往是传达广告主题的关键。色彩运用得当会给消费者带来强烈的视觉冲击，既能传递品牌和商品信息，同时也能给消费者留下美好印象。

（一）突出色彩的功能

色彩具有吸引注意、强化视觉冲击、增强品牌和商品的记忆、影响消费者情感的作用。恰当地运用色彩会引起消费者心理的共鸣，吸引消费者关注，得到消费者的信任和喜爱。色彩在广告设计上具有强烈的视觉传达特征。在广告创意上不管是运用色彩的对比、调和或不同色调，色彩都大大增强了广告的传达力度。（图5.6.1）

图5.6.1　突出色彩的功能

（二）强调色彩的特性

广告设计的色彩运用要充分考虑品牌与商品的标准色和辅助色，并将品牌和商品的标准色和辅助色贯穿整个设计创意过程中，使色彩设计具有很强的针对性及目的性，强化品牌和商品色彩的视觉传达效果，带给消费者清晰、准确和生动的品牌和商品形象的信息传达。通过对品牌与商品标准色和辅助色的色彩的运用，避免给消费者留下不统一的印象。（图5.6.2）

（三）体现色彩的象征

广告色彩设计要与品牌和商品的性格相统一、与广告创意相统一、与广告诉求目的相统一，同时还要考虑目标市场和消费者的色彩喜爱。色彩设计也不仅仅是色彩表达方法的设计运用，更多地要体现色彩的文化属性、民族属性和象征属性方面，尤其是民族品牌在色彩上的运用，更要考虑民族品牌的色彩特色。正确传达出品牌与商品的信息，使消费者产生相应的心理认同，树立起品牌在消费者心中的形象，达成这些目的都与色彩的运用密切关联。（图 5.6.3）

图 5.6.2　强调色彩的特性

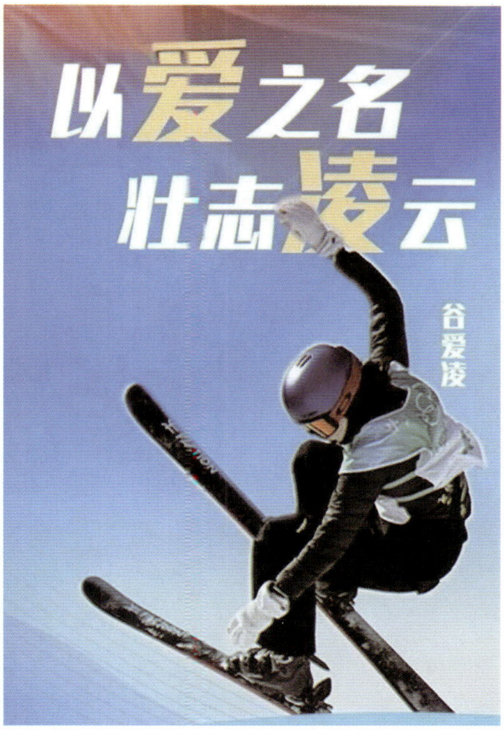

图 5.6.3　体现色彩的象征

二、色彩组合搭配的基本规律

在广告设计中如何更好地搭配使用色彩，是色彩研究的主要任务。感知色彩的一个不能忽视的因素是生理视觉因素，即从生理的角度研究色彩满足视觉需求的平衡。色彩的美学范畴讲求用色的单纯与统一，在白色、中灰色环境下对色彩的辨析力大大提高，并带来视觉的平衡感和心理的稳定感与和谐感。属性相近的色彩，在视觉感知上和谐互融，而各种对比强烈的色彩则互相排斥，这些均是视觉生理作用影响的结果。利用这些视觉生理经验，在丰富的色彩中找寻到合理、恰当、简洁、正确的色彩组合搭配方法，而发现色彩内在的组合基本规律，就等于拿到了一把开启如何更好搭配色彩之门的钥匙。

（一）色彩组合搭配的方法

（1）色彩搭配“五色”的运用

所谓“五色”，即黑、白、灰、鲜色（高纯度）、晦色（低纯度）。“五色”高度概括了应用色彩设计中最基本的色彩搭配规律，是视觉对色彩平衡的最基本需求。在“五色”中的无彩色，即黑色和白色，在应用设计中也承担着色彩的作用，并且起到重要的、不可或缺的色彩组合搭配作用。

色彩搭配组合方法：黑、白、灰、鲜色（高纯度）、晦色（低纯度）五色的组合可以产生多种搭配的形式，画面可以按色彩的构图、形状、比例进行分布，如比较多地使用低纯度的晦色或灰色，小面积或局部使用高纯度鲜色；也可以单纯使用黑、白、灰与鲜色（高纯度）搭配构成，方法同样是比较多地使用黑、白、灰色，局部使用高纯度鲜色。色彩搭配组合的结果是既有统一的主色调，又有明快的亮色，画面丰富而又不失柔和、对比又不失协调。

根据设计要求，在色彩搭配组合中也可以在“五色”中进行增减，如鲜色1或2个和低纯度色的晦色3或4个，与黑、白、灰组合搭配运用。在应用设计中根据广告主题的需要，灵活简洁地运用“五色”方法，是非常有效的色彩组合搭配方法。（图5.6.4）

（2）色彩的单纯性

色彩越单纯，视觉传达越强烈。设计方面用色的首要原则为单纯化，单纯性用色会更直接地让消费者记忆，达到传播品牌和商品的目的。单纯性用色一般选择2~3种色彩。（图5.6.5）

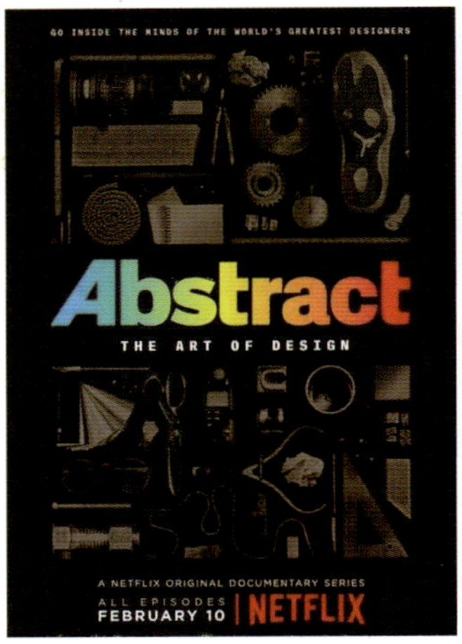

图5.6.4　色彩搭配“五色”的运用

图5.6.5　色彩的单纯性

（3）色彩的主与次

色彩主次运用是画面和谐统一的需要，在设计用色中要有突出的色彩和起陪衬作用的烘托色彩，这样色彩使用就能达到有主、有次调和统一。设计的关键是在于色彩主次的引导，以及如何用色彩突出广告主题，这就需要把握好色彩的主次所形成的色调与广告主题之间的关系，达到传达广告主题的设计要求。（图5.6.6）

（4）色的对比与调和

对比与调和是设计用色的基本原则。设计中可调动对比的因素很多，如色彩明度、色相、彩度三属性，色的面积大小，色的形状与走向等。而实现调和可掌握几点：首先，无彩色间最易调和，像中国传统书法的运笔、水墨画分色等；其次，关注各种色彩在消色环境中的魅力，比如灰色，不少色彩掺灰之后会很有“色”味。另外，处理好色的主从关系与基本色调也是达成色的调和的基础。（图5.6.7）

图5.6.6 色彩的主与次

图5.6.7 色的对比与调和

（5）色的节奏与韵律

节奏是变化中的秩序，韵律为秩序中的变化。最具魅力的月色可从音乐中得到感悟，七个音符与七种色彩各自演绎的跳跃与律动在情绪渲染、情感激发与记忆留存等方面，有不少相通互易之处。（图5.6.8）

图5.6.8 色的节奏与韵律

（二）色彩空间的表达方法

在色彩的组合中，色彩的前后空间关系是通过色相、明度、纯度、冷暖以及形状等因素进行表现的。

（1）明度高的色有向前的感觉，明度低的色有向后的感觉。（图5.6.9）

（2）暖色有向前的感觉，冷色有向后的感觉。（图5.6.10）

（3）高纯度色有向前的感觉，低纯度色（晦色）有向后的感觉。（图5.6.11）

（4）色彩整有向前的感觉，色彩不整、边缘虚有向后的感觉。（图5.6.12）

图5.6.9　色彩空间的表达方法（明度）

图5.6.10　色彩空间的表达方法（冷暖）

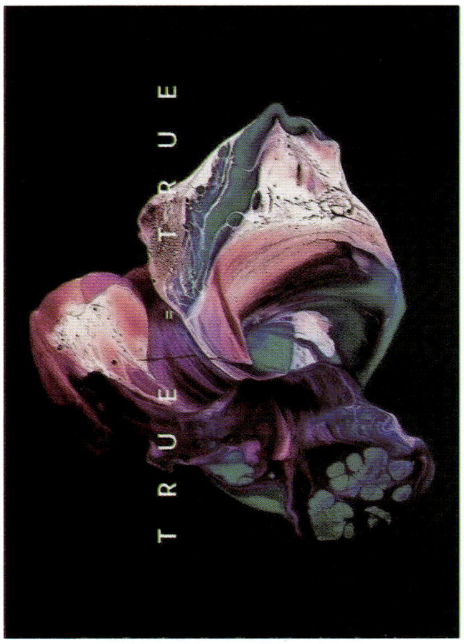

图5.6.11　色彩空间的表达方法（纯度）

图5.6.12　色彩空间的表达方法（形的整缺）

（5）色彩面积大有向前的感觉，色彩面积小有向后的感觉。（图 5.6.13 ）

（6）设计中色彩空间常靠背景、图形、文字等来表达。（图 5.6.14 ）

图5.6.13　色彩空间的表达方法（面积）

图5.6.14　色彩空间的表达方法（综合因素）

（三）积极色彩与消极色彩

积极色彩与消极色彩是指色彩在人们心里引起的某种联想和感觉，通过色彩的表达形成的一种心理的印象。

歌德认为红色、橙色、橘色是积极色（也称为主动色），蓝色、蓝紫色、紫色是消极色（也称为被动色）。低纯度的晦色也称为消极色。积极色能够表现出某种崇高性、尊严性和严肃性特点，表现积极的、向上的精神。如纯粹的“红色”、纯正的“绿色”也能给人一种真正视觉的满足，“当眼睛和心灵落到这片混合色彩上的时候，就能宁静下来”。消极色彩表现得比较含混，性格不很突出，相对中庸和柔和，个性不鲜明，能起到陪衬和调和的作用，但色彩的陪衬和调和作用在设计中也是非常重要的。积极色彩与消极色彩是色彩情感性的一种表述。广告设计中要考虑色彩的这些属性，才能更好地传达出广告的主题。（图 5.6.15 ）

图5.6.15　积极色彩与消极色彩

三、色彩设计的基本方法

广告色彩设计要恰当、准确地将色彩属性运用到广告设计目的之中，从而增强广告设计诉求的传达力、表现力、吸引力和视觉冲击力，使品牌和商品更形象、更准确、更生动、更鲜明、更富有美感和情感并传达给消费者。

（一）色彩的基本要素

色彩三要素：色相、明度、纯度（饱和度）；色彩应用设计：色彩的混合、色彩的对比、色彩的调和、色彩的推移、夸张色彩、装饰色彩、设计色彩、色调、分割与统一以及极色（黑、白）、灰、金属色彩（如金色、银色等）；色彩的心理属性：色彩的冷暖、色彩象征、色彩联想、色彩寓意等。

（二）色彩的色调

广告色彩中色调的作用决定了广告色彩的整体性，主要的色调倾向就是设计师想要表达的色彩理念，也是品牌和产品传达给消费者的色彩感受，因此，色彩的主色调就构成了整体的色彩效果，色彩设计不管是运用色彩的对比还是色彩的调和，一定都要由主色调起决定作用，即使是多种色彩构成的画面，也要做到统一，否则便会产生杂乱无章的感觉，无法满足广告主题以及色彩传达的要求。所以色调在设计中的作用非常关键。

高调、低调、冷调、暖调、轻调、重调、明调、暗调、长调、短调、中调、红调、绿调、华丽色调、明快色调等，这些都是色彩设计常用的调式方法，比如食品广告多使用暖调，

对于较为昂贵的商品，如饰品、手表等则应该采用相应的色调去突出产品的高贵。还有与儿童相关的商品，则应该根据儿童的心理，采用轻快、明亮、鲜艳的色调为广告的主色调。

色彩的色调是依据广告商品内容决定的，而不是主观想象的。色彩的色调直接为广告和商品服务，传达给消费者色彩心理上的满足感。对于这种广告就需要以那种能够表达这种意境的色彩为主色调。

（三）色彩的推移方法

色彩推移也称色彩渐变，主要是指其在色相、纯度、冷暖、明度的强与弱、深与浅、冷与暖以及明与亮的程度上的变化。色彩有规律的变化，产生连续推移的效果。渐变不仅仅要求色彩的形状按照一定的秩序进行变化，其变化的方向也应该有一定的秩序，比如在色相上面的渐变，即在颜色赤橙黄绿青蓝紫间进行变化。同时，也可以是色彩明亮度的渐变，如由高明度向低明度变化，以及纯度层面的渐变，如由高纯度向低纯度变化。色相推移的方法有：

（1）色相推移：可以选择光谱色相向全色相推移，也可选择其中某几个色相推移。

（2）明度推移：选择一个色相，从明度上逐渐推移到白色上。

（3）纯度推移：选择一个高纯度色相，逐渐加入中等明度的灰色，然后推移到灰色。

（4）冷暖推移：由具有冷暖属性的色相渐变推移构成。

在广告设计中表现规律变化含义的主题时，常使用色彩推移的方法，如在广告设计中，可用色彩推移构成暗示成长、发展、变化等主题。（图5.6.16至图5.6.20）

图5.6.16　色相推移

图5.6.17　明度推移

图5.6.18　纯度推移

图5.6.19　冷暖推移

图5.6.20　综合推移（色相、明度、纯度、冷暖）

（四）色彩的对比

色彩对比是广告设计的重要手段。色彩对比是指两种或者两种以上不同的色彩，在时间上、空间上的应用产生的色彩差别，色彩对比的强弱取决于色彩在色相环上的位置。色彩对比可以增加视觉冲击感，让画面更具有吸引力。色彩对比的形式有：色相对比、明度对比、纯度对比、冷暖对比等。色彩对比要由形状来完成，这又产生了色彩与形状之间的对比，如面积、大小、形状、肌理、位置、远近、虚实、空间等不同所产生的对比关系。广告设计中常用色彩对比的关系增加视觉冲击力。

广告设计中色彩对比的应用使画面更加富有立体感、空间感，色彩对比的强烈程度也可以增加观众的视觉感知。而冷暖色调的对比也是在广告设计中常见的方法，比如在暖色背景中用冷色的字体来展示广告内容可以增加观众的视觉印象，从而达到广告宣传的目的。色彩对比的常用方法有：

图5.6.21　色相对比

（1）色相对比

色彩的色相对比是指色相之间差异形成的对比，是广告设计中常用的方法，也是最基本的一种对比方法。色相的对比让画面颜色更加丰富。色彩对比的强弱取决于色彩在色相环之间的距离。色相环上的距离越大，对比就越大，反之对比就越小。（图5.6.21）

图5.6.22　明度对比

（2）明度对比

明度对比是指色彩明暗的对比，是一色的明度差异，也是明暗关系的对比，在设计中能形成强烈的对比效果。合理地应用明度对比，可以更加突出画面的明暗对比关系，突出画面的空间感。明度对比决定了画面明快还是沉闷、柔和还是强烈的视觉效果。（图5.6.22）

（3）纯度对比

色彩的纯度对比是指高纯度色彩与低纯度色彩之间的一种对比，是色彩对比中层次最为丰富、表现最为细腻的一种对比表现形式。一般采用大面积低纯度色彩与小面积高纯度色彩的对比。广告设计中的纯度对比决定了色调的高雅、含蓄、丰富等视觉传达效果。把握好纯度对比，就如同掌握了音乐表现的各种调式，能设计创作出非常丰富的色彩关系，达到主色调的表达效果。因此，在设计中要恰到好处地运用纯度对比。（图5.6.23）

（4）冷暖对比

冷暖对比是一种冷色性与暖色性的对比。冷暖色是指人对自然界具有冷暖属性的物体（如太阳、火、夏日等暖性与冰山、寒冬、月色等冷性事物）的感受和视觉体验，与相应色相的联系，是色彩体现在心理上的一种感受。如果将色相与冷暖相对应的话，橙色或偏橙色的红、黄看上去暖些，蓝色看上去冷些。阿恩海姆在《艺术与视知觉》中认为："白纸上的红色与蓝色，只是红色相与蓝色相，如果与冷暖联系，红色看上去'暖'，蓝色看上去'冷'，纯黄色看上去也'冷'。然而，当基本色彩（色相）稍微偏离的时候，色性就会变化。"如红色偏离的时候，产生冷味红（西洋红）和暖味红（橘红），绿色偏离同样产生冷味绿（翠绿）和暖味绿（土绿）。（图5.6.24）

图5.6.23　纯度对比

图5.6.24　冷暖对比

在广告设计中常运用冷暖对比来强化视觉表现。冷暖对比一定注意冷暖色性的倾向，否则冷暖关系就不强烈，而与色相对比类似。再有，冷暖面积差要稍大些。冷暖对比也可用象征冷暖属性的事物来表达。

（5）色彩对比中的其他因素

色彩对比中除了色相对比、明度对比、纯度对比、冷暖对比外，还包括其他因素的对比。

①色彩面积对比：面积对比是强调画面占统治地位的色彩与从属地位的色彩之间的对比，大面积色彩构成统治色调或称主色调，而其他小面积色彩只作陪衬色，处于服从地位。

②色彩同时对比：同时对比是强调色彩与色彩之间、色彩与环境空间诸色彩因素同时

参加对比，同时对比决定了色彩对比的实用效果。

③色彩连续对比：是色彩对比的空间与时间的对比形式，是色彩诸因素在相对的同一时间内的对比。如我们看过以蓝色为主的画页后，眼睛移到另一红色为主的画页时，就产生一种连续的对比。连续对比实际是眼睛所视同一区域色彩的移动产生的时间差异。

④色彩形状对比：色彩在形状对比中起到强化或减弱色彩对比的作用。形状完整、集中，色彩对比就强烈；形状不完整、分离，则色彩对比就减弱。形状实，则色彩对比强烈；形状虚，则色彩对比减弱。形状接触面大，则色彩对比强烈；形状接触面小，则色彩对比减弱。

（五）色彩的调和

广告设计中色彩调和是让画面既丰富又统一。色彩调和有很多种方法，如主色调调和、同类色调和、邻近色调和、统治性调和、强制性调和（包围、分离、分隔）等调和形式。我们可以利用相邻两种颜色的中间色来进行调和；可以利用纯度、明度、色相减弱对比来进行调和；可以利用画面的空间距离调和对比强烈的色彩，也可以用包围、分隔、分离的方法将对比强烈的色彩进行强制统一，达到调和的目的。

（1）色彩调和的方法

①统治调和法：大面积地使用一个色彩或同种色，小面积地使用其他色彩，色彩产生统治调和。（图5.6.25）

②同一调和法：在不同的色彩中加入同一因素色彩，使其在色相、明度、纯度、冷暖等方面，都有一些共同因素。（图5.6.26）

图5.6.25　统治调和

图5.6.26　同一调和

③近似调和法：缩小色彩的差别，增加近似的程度。（图5.6.27）

④强制调和法（包围、分离、分隔）：无主色调和，在对比中求得的调和。a.用极色（黑、白）、灰分割或包围强对比的纯色；b.用金属色、金、银分割或包围强对比的纯色。（图5.6.28、图5.6.29）

图5.6.27 近似调和

图5.6.28 强制调和（一）

图5.6.29 强制调和（二）

（2）获取主色调的调式

主色调的调式就是画面上主要的色彩构成了起主导作用的色彩倾向，主色调的调式可以从色彩的很多方面获取。

①从色相上：有红色调、绿色调、蓝色调等。

②从明度上：有明调、暗调、明度九调等形式。

③从纯度上：有鲜色调、灰色调等。

④从冷暖上：有冷色调、暖色调等。

⑤从对比上：有强差色对比（长调）、弱差色对比（短调）等。

在设计中，主色调的调式多用在表现广告主题上，如广告主题表现华丽的内容，则色彩的主色调要表现出雍容华贵的色彩传达。不管是运用哪一种方法获取的主色调调式，都是以广告目的为要求的，要依据不同的广告设计目的，选择使用不同的主色调的调式。（图5.6.30至图5.6.33）

图5.6.30　获取主色调的调式（同类色）

图5.6.31　获取主色调的调式（对比色）

图5.6.32　获取主色调的调式（灰色调）

图5.6.33　明度九调

（六）色彩对比与调和的统一

色彩的对比与调和是一对矛盾、是色彩对立与统一的关系。色彩的对比是强调色彩视觉冲击的一种传达手段。色彩的调和是人们视觉所需要的传达方式，色彩调和使视觉传达富有美感、和谐与有序，是视觉要求达到的目的。色彩的对比与调和是色彩设计的常用方法，一个好的广告设计离不开色彩的对比与调和的正确处理，合理地处理好二者的关系，使广告设计色彩既能表现出对比强烈又丰富统一。色彩的对比与调和还要考虑色彩的功能性、品质性、商品性、审美性等特点。

色彩合理的应用是让画面做到既有对比，又能统一的关键。让对立的色彩在画面中相辅相成、互相融合，达到画面的统一与和谐，做到色彩对比与调和的对立与统一，使广告设计更加吸引消费者，更加满足消费者的审美要求，从而达到广告设计的真正目的。（图5.6.34、图5.6.35）

图5.6.34　色彩对比与调和的统一（一）

图5.6.34　色彩对比与调和的统一（二）

（七）色彩的联想与象征

（1）色彩的联想

色彩具有联想化与象征性的特征，色彩联想与象征是人们对色彩产生的一种心理活动。色彩联想与人们的经验相关联，包括性别、年龄、民族、文化、宗教信仰、风俗习惯等。比如，红色给我们一种热情、成熟、喜庆的联想，令人兴奋、积极、热烈；蓝色可以使人平静、安宁与平和；白色常与神圣和纯洁联系在一起；黑色与庄严和严肃联系在一起；橙色给人一种温暖、高兴、有食欲、有活力、愉悦和积极的感觉；绿色可使人联想到植物、理想、成长与安全；粉红色联想到女性；紫色联想到神秘、优雅、华贵、端庄及优美等；褐色联想到咖啡、巧克力等，这些联想都是视觉经验积累的结果，属于共性或一般经验。某些色彩联想受文化、宗教、民族、习俗影响较大，甚至某些色彩是某些民族的禁忌。所以在应用设计中一定要了解联想的共性与个性的差异。

色彩联想还表现为某种程度上的不同，如在重量上色彩有轻、重；在硬度上色彩有软、硬；在温度上色彩有冷、暖；在情绪上色彩有喜悦、悲伤、宁静；在空间上色彩有远、近；在性别上色彩有男、女；在味觉上色彩有酸、甜、苦、辣；在声音上色彩有高音、低音（如康定斯基认为黄色表示刺耳的喇叭声）等。

色彩联想的提示：

红色（R）：喜庆，热烈，革命，女性，温暖，警示，勇敢；

橙色（O）：温暖，兴奋，健康，富裕，权威；

黄色（Y）：光明，成长，宗教，权威，刺耳的声音；

绿色（G）：和平，娇嫩，丰富，青春，生长，理想，自然；

蓝色（B）：淡雅，悠远，宁静，深沉，阴郁，冷淡，海洋，天空；

紫色（P）：娇艳，娇媚，不安，悲叹，葡萄；

褐色（BR）：战争，稳重，老成，历史感，厚重，咖啡，巧克力；

黑色（BL）：神秘，恐怖，严肃，孤寂，高贵，男性；

白色（W）：神圣，纯洁，雅致，发散，洁净；

灰色（N）：温和，空虚，阴天，消沉，懒散，朴素；

金色（G）：光明，富贵，坚固，幸福，神灵，收获；

银色（S）：贵重，寒冷，悲伤，宇宙，金属。

（2）色彩的象征

色彩的象征是在一定的历史、文化、宗教和民族习俗下积淀形成的、共性的认知，是一种文化上的共识。红色历来象征着生命、喜庆、权贵，而黄色则在中国历史文化中成为皇帝的专用色。“五行”中的金、木、水、火、土则用白、青、黑、赤、黄象征；“四极”东、南、西、北则用青龙（青）、朱雀（红）、白虎（白）、玄武（黑）象征。欧洲的节日也有相应的色彩作为象征，如：情人节是红色，万圣节是橙色，感恩节是茶色，复活节是黄色与紫色，圣诞节是红色与绿色等。现代企业品牌的标准色，就是品牌的象征色。

色彩的联想与象征是设计中经常使用的方法，我们需要多研究、分析、了解消费者的色彩心理喜好，掌握好色彩的表达方法，运用好色彩的联想与象征，使广告色彩设计最大程度地满足消费者对品牌和商品的心理喜爱。（图5.6.36至图5.6.46）

图5.6.36　色彩的联想（一）

图5.6.37　色彩的联想（二）

图5.6.38　色彩的联想（三）

图5.6.39　色彩的联想（四）

图5.6.40　色彩的联想（五）

图5.6.41　色彩的联想（六）

图5.6.42　色彩的联想（七）

图5.6.43　色彩的联想（八）

图5.6.44 色彩的联想（九）

图5.6.45 色彩的联想（十）

图5.6.46 色彩的联想（十一）

四、色彩的心理属性

色彩是影响人们心理的重要因素，色彩通过视觉设计对人的心理产生影响，并引发人们情感的共鸣。马克思曾把“色彩的感觉”视为“一般美感中最大众化的形式”。所谓大众化的美感形式，有两层意义：一是指色彩感是令大多数人都能感到愉悦的形式感；二是指色彩感是最原始而又最现代的形式感。

（一）色彩对心理的影响

人类在长期的生活和劳动实践过程中，不断积累经验，逐渐形成了具有共性的色彩认识观和审美观，并赋予了色彩不同的性格特征。每种色彩都能使人们产生相应的心理反应，色彩的纯度或色相的明度，不仅会影响视觉传播的强度，还会影响消费者的心理接受程度。

从市场角度来看，商品种类繁多，而选择哪种色彩方案是最佳的，这就要求根据不同商品的需要去寻找准确的、合理的、个性化的色彩设计方案，以满足特定的消费群体的心理需求。只有广告色彩传达令消费者满意和喜爱，才能显示出色彩心理共鸣的魅力。

（二）色彩和心理的联系

每种色彩都会对人们的心理产生影响，色彩形成了与之对应的心理情绪反应。色彩不仅在传播信息时会提高其吸引注意的视觉享受，同时，还与消费者的内心进行更深入的情感交流，体现在色彩和心理的联系上，表现为色彩联想化与象征性，如：白色与优质、神圣和纯洁联系在一起；黑色与萧瑟和严肃联系在一起；由蓝色可以想到安宁与深邃；红色可带给我们一种热情、成熟与喜庆的感觉；橙色给人一种温暖、高兴、积极的感觉，故而在设计色彩里能展现出有食欲、有活力和愉悦之情；绿色可使人联想到理想、成长与安全，因此在广告中给人一种新鲜、自然、年轻与安全的感觉；紫色可使人联想到女性美、神秘和优雅，在广告里可让人们感受到女性的华贵、端庄及优美等。

第七节 广告设计中图形的作用

图形（Graphic）一词含义十分丰富，牛津辞典解释为：文字的、书写的、图表的、绘画的、平面的艺术。广义上讲，在二维平面上所传达的视觉形象，都可以称为图形，如文字图形、风景图形、动物图形、器物图形和几何图形等。狭义上讲，图形是通过运用图形语言以形寓意、以意生形，来传达设计师想要表达的创意和哲理、思想观念或某种特定的目的。图形在招贴设计中运用最为广泛，从19世纪末到20世纪，欧洲各国和美国、日本等的设计师，十分重视图形在视觉传达设计中的重要作用，在不同的图形作品中形成了各具特色的图形设计风格。德国设计家冈特·兰堡、中国设计家靳埭强、日本设计家福田繁雄在他们众多的招贴设计中，多运用富有哲理、简洁有力、耐人寻味的图形元素来表达他们的设计观念。在福田繁雄一幅以和平为主题的招贴设计中，以醒目的黄色为基调，以黑色炮筒为元素，令人叫绝的创意是作者运用逆向思维方法，将脱离了炮筒的炮弹处理成不是向前，而是反方向的向后，形成强烈和震撼的视觉效果。图形传达出这样的含义：反对战争，发动战争者必自食其果（图5.7.1）。毕加索创作的《和平的面容》是一幅非常美的图形，鸽子、橄榄枝、少女构成同一图形，传达出人类对和平的祈盼（图5.7.2）。商品招贴设计也常用简洁的图形语言，Volvo办公车广告就是成功一例，在白色的背景中，视觉的中心位置，是以一个在办公室经常用的别针为元素，非常巧妙地将别针弯成小汽车形，使人觉得十分亲切，图形传达的信息十分明确：经济、实用、便捷（图5.7.3）。设计师运用极简约的图形语言，却非常好地将理性与感性诉求结合在一起，使人过目不忘。

图5.7.1　招贴（福田繁雄）（一）

图5.7.2　招贴（毕加索）（二）

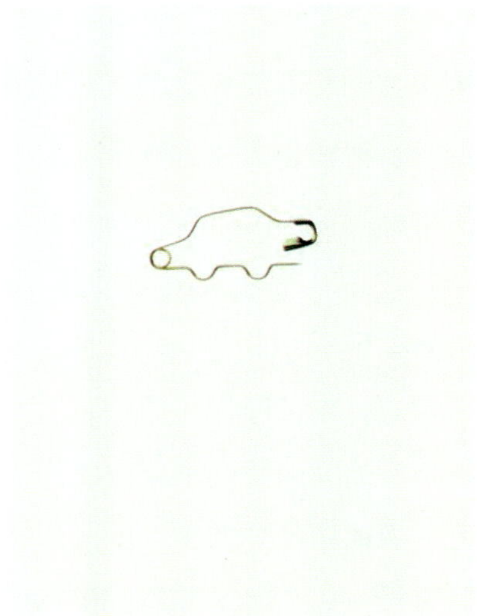
图5.7.3　招贴（三）

一、图形的特征

图形在广告设计中以其独特的想象力、表现力，展示着特有的视觉魅力。图形是广告设计的重要构成元素，图形在视觉识别和信息传达上起着文字无法替代的传播效果。对于广告设计特别是招贴广告设计，在视觉语言传达上，图形是设计师常用的创意形式。

（一）符号特征

符号学家认为："人类不仅是理性和道德的人，亦是符号的人。"符号是人们进行情感交流、思想表达、信息传递的载体。索绪尔认为"语言学只是符号学的一部分"，巴尔特则认为"符号学只是广义语言学的一部分"。广义上讲，符号包括了语言、文字、盲文、手语、旗语、音乐、色彩、图形等听觉和视觉载体。图形符号的特征具有具象性、抽象性、象征性、共识性（相关符号、规约符号、交通符号、公共场所导示符号等）、专属性（标志、徽）等表现形式（图5.7.4）。图形设计本身就是设计者借助图形符号向观众传达设计者的思维过程和思想观念，从而达到传达信息的目的。换言之，观众也正是通过设计者的作品和与自身的经验加以印证，最终了解设计者所希望传达的思想感情。显而易见，作为中间媒介的图形设计作品，这时就充当着设计者的思想感情符号的作用，而这个符号所表达的信息是否可以被观者准确、快速和有效地接受与认知，这也正是图形设计作品成功与否的标志。设计者要传达一定的思想观念就必须在设计的思维过程中对图形符号加以挑选、组合、转换、再生，从而达到准确有效地传达信息的目的。由此可以说，图形符号是设计者表达思想感情和思维观念的工具。图形要表达某种特定的意义，也不能仅停留在符号的一般表征上，而是要从传达的内容上恰当地、巧妙地利用某些图形符号的语意，在特定的思想意识、创意观念支配下，通过对图形符号的重新加工和组合以及表达形式和手法的运用，将其原有的意义或升华或改变或延伸，形成赋予一定观念意识的图形语言。如，以铅笔作为符号元素，用寓意的方法，将笔芯创意为钻头，其图形语言就产生了深刻的变化，它表达的是一种韧性，一种探索，一种钻研，一种感性与理性相统一的精神。

图5.7.4　招贴（四）

（二）象征特征

象征是用具体的事物、形象、图形或色彩来表现某种特殊意义。当某种图形，如，人物、动物、植物或抽象的符号、形状、色彩等表现为象征时，它的意义就超越了其原始意义，而与被象征对象和精神密切联系在一起。图形的象征特征一般都与一定的民族文化、历史、宗教、政治、社会等密切关联，它表现为一定的历史文化积淀和人类的丰富想象。中国历史悠久、文化灿烂，象征图形非常丰富，“龙”的图形是中华民族的象征；“青龙、白虎、朱雀、玄武”是四极方位的象征；“梅、兰、竹、菊”是君子品格的象征；牡丹是富贵的象征；龟与仙鹤表示长寿；石榴表示多子等。从世俗生活到精神理想，象征图形不胜枚举。世界各个民族也都有丰富的与自己文化相连的象征图形。图形的象征性在图形语言的表达中是非常重要的。网络设计师魏翔宇设计的招贴海报——“厉行节约，反对浪费”是提倡节约粮食的招贴设计（图5.7.5）。它用食材、餐具等元素，组成一个新的场景，来表现食材的珍贵，从而提倡大家节约粮食、珍惜粮食。

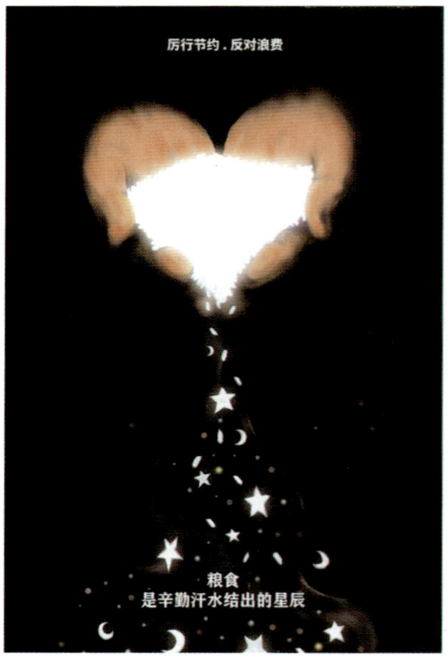

图5.7.5　招贴（五）

（三）表意特征

每一图形都能传达出某种含义，图形的表意特征是寓形于意、以意生形、形意相合。如，“眼”为视觉元素，有观看的含义，引申有洞察、了解、认识等意义。如其再和“书”这一图形符号相结合，则能传达出了解人类知识、启迪人类思想等意义。巧妙地运用不同图形的表意性，是图形创意的关键。其中，字意图形就是运用字体的表意特征作为图形创意，正如凯勒先生所说：“字体应该是图形要素。字体图形就是形式与内容的高度统一。”文字的图形化特征，历来是设计师们乐此不疲创作的素材。中国历来讲究书画同源，汉字除具有音美、意美之外，字体本身就具有图形之美，书法艺术的表现又使汉字达到很高的艺术境界。以物象形、以形造字，在文字初创时期的甲骨文字，就体现出我们祖先思维的伟大智慧。以当代审美观念看，甲骨文字体结构已体现高度的图形审美的构成原则。与表音的拉丁字母不同，汉字具有独特的表意特征，很多汉字均是表意构成。“字如其人”是对汉字的人格化意象描述，汉字构成了中华文明的核心。汉字的意象化图形是源于汉字表意特征的图形创意思想而发展的，设计家余秉楠先生以汉字“家”为图形元素，设计了一幅期盼祖国统一，海峡两岸同为中华儿女，共为一家人的优秀招贴。2008年北京奥运会会徽是以中国印和汉字的变化作为设计创意；2010年上海世博会会徽同样是以汉字金文形式“世”为设计元素，运用毛笔书写的特点，用形象的语言传达出“欢乐迎世博”的创意。两幅作品均是优秀的会徽设计。日本设计师山代龙一运用汉字“木、林、森”的象形特征和表意性进行巧妙组合，设计了一幅让人一看便明了的植树运动主题招贴。（图5.7.6）

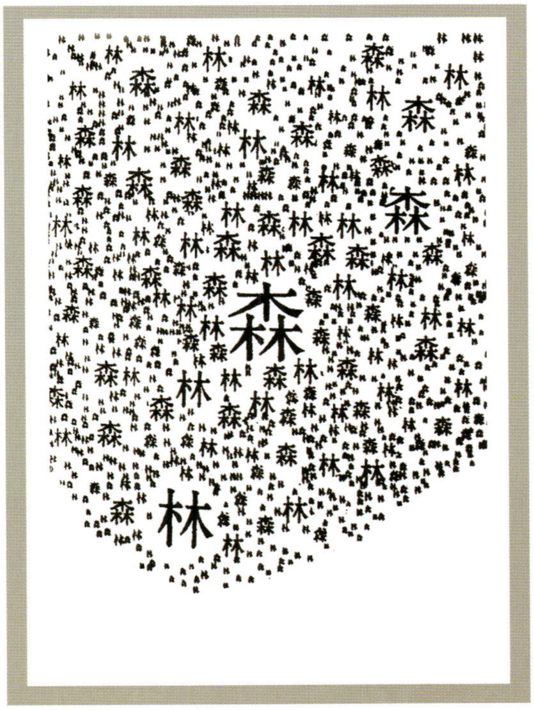

图5.7.6　招贴（六）

二、图形创意的思维形式

图形创意过程就是一种创造性的思维活动过程。创造性思维是一种可以物化的思维活动，其不单单是一种思维形式的运用，而是联想思维、想象思维、形象思维、直觉思维、逻辑思维、辩证思维、灵感思维、发散思维、逆向思维、聚合思维等多种思维形式的综合运用。图形创意的思维方法在图形创意设计中是非常重要的。

（一）联想思维

联想从形式上分为相关联想、因果联想、逆向联想。比如由苹果想到平安属于相关联想。由战争想到死亡是因果联想。由生想到死、由快乐想到悲伤是逆向联想。从内容上联想包括形与形、形与意的联想，意与意的联想等联想还体现了思维的客观性、互转性、扩展性、深入性和跳跃性的特点。每一客观事物在人的大脑中都能引发联想，联想思维在形式上包括因果关系的联想、要素的联想、形状的联想、色彩的联想、印象的联想、对比的联想、逆反的联想、意义的联想、综合的联想等。联想思维是图形创意最常用的思维方法。联想是打开沉睡在头脑深处记忆的钥匙，联想为思维插上了会飞的翅膀。（图5.7.7）

图5.7.7　联想思维

（二）想象思维

想象思维是人脑对记忆中的表象进行加工改造，而创造新形象的思维过程。人类的想象力体现了人类精神的浩瀚和心灵的深远，它是人类思维的活力所在。爱因斯坦说："想象力比知识更重要，因为知识是有限的，而想象力概括着世界上的一切，推动着社会进步，并且是知识进化的源泉”。刘勰在《文心雕龙·神思》中写道：“寂然凝虑，思接千载；悄焉动容，视通万里。”意思是说，思路一经打开，视野无限开阔，时空不能阻隔，思绪与千载相接，万里相通。这就是想象的力量。

想象始终是图形创意的动力与源泉。图形创意离不开想象思维，借助于感受、经验与想象，把游离的、分散的物象合成为一个能抒情达意的图形语言。图形想象的目的在于追求一种新的图形语境，创造一种新的图形语言表现方式，它源于现实，又超越现实。在思维中要不断地激发想象、扩展想象、再造想象、创造想象，运用无穷无尽的想象力创作出震撼心灵的图形创意作品。（图5.7.8）

图5.7.8　想象思维

（三）逆向思维

逆向思维是与一般思维方向相反，与传统的、习惯的、普遍的、逻辑的或群体的思维方向逆反的一种思维方式。常从反面的、对立的、颠倒的角度去思维，敢于怀疑、不守旧、打破常规、标新立异。逆向思维具有独立性、批判性和创新性精神。在图形设计中充分挖掘、运用逆向因素进行创造性构想，可使图形获得意想不到的效果，乍一看悖于常理，细一想却蕴涵更深刻的哲理，有些图形创意作品在表现形式上，达到令人称奇叫绝的程度，使人久久回味和思索。

逆向思维的创意图形离不开对生活的细致观察和思考。我们可以看到很多事物在质、量、形、色彩、方向、态势、空间、比例、透视等方面存在着对立的因素，从视觉思维的角度观察，有选择地整合逆向要素对图形形式语言的生成具有重要意义。逆向思维有很多种方法，比如有方向逆向、属性逆向、原理逆向、悖论、因果逆向、心理逆向等。（图 5.7.9）

（四）发散思维

发散思维是扩散的思维方式，是一种求异思维、分散思维、辐射思维，是不拘泥于一点，多角度、多方向的思维方式。发散思维具有多维性、变通性、独创性等特点。独创性是发散思维的本质特征。英国人托尼·巴赞设计了一种“思维导图”（The Mind Map）来训练发散思维，提高想象力、联想和创造性思维能力。在图形设计中不拘泥于一点的发散思维方式往往能创作出具有鲜明个性、风格独特的作品。（图 5.7.10）

图 5.7.9　逆向思维

图 5.7.10　发散思维

（五）灵感思维

灵感思维是思维方式的一种突变，灵感思维具有突发性、独创性、奇异性、顿悟性的特征。钱学森说：“我们所说的灵感，实际上是人的观察体验，在头脑中的飞跃。”灵感实际发源于人的丰富实践经验，在阅历、知识的积累和思维意识的不断发展升华中一闪而现。郭沫若曾这样描述灵感：“灵感是人类思维发展到高级阶段的产物，是认识上质的飞跃，是一种创造性的思维活动。它表现为人脑长期思维活动中的一种顿悟，一种特殊而非凡的见解。它的闪现，犹如仙女灵现，使深陷绝境的思考喜逢生路，使僵化的头脑豁然开朗，妙机如海潮滚滚涌来。”图形设计中灵感思维的产生也表现在个人潜质的培养和不断的学习研究以及经验、阅历和知识的积累上。（图5.7.11）

图5.7.11　灵感思维

三、图形设计的表现方法

图形的表现方法是图形设计重要的创意表现形式，在广告设计中常运用不同方法的图形创意形式，以期达到震撼人心的广告效果并展现令人回味无穷的广告图形创意形式。

（一）字意图形

文字创意图形历来是设计师采用的重要表现形式。中国表意文字本身就具有象形的图形之美。以形、意造字的甲骨文字在上古时期就产生了，至今其文字结构依然符合图形审美的构成原则，它包含有图形文字和文字图形的双层意义。字意图形就是以文字的图形变化形式构成，在文字的“意”与字体的“形”上进行创意表现，形成形意共生、以形寓意，传达广告设计的目的。（图5.7.12）

图5.7.12　字意图形

（二）反转图形

反转图形是图与底具有反转意义的图形。形成“图”与“底”的反转成因，是任何形在背景中都可看作是空间的存在，在背景中实的形可称为正形或实形，就是“图”；而留出空白的形可称为负形或虚形，就是“底”。图与底在一定条件下有互相反转的特点，还能构成共生图形。条件是：（1）当图与底的“形”与“量”相等时或图与底的“形”与“量”相近时，图与底形成反转。（2）图与底的“形”都具有实际意义时，图与底形成图底反转或构成共生图形。（3）利用形的轮廓线具有的双重职能的特征，即内形与外形的职能，形成共用线或共用形来构成反转图形或共生图形。（4）利用正形包围负形，正形与负形互相都有具象特征时，也可以形成反转图形或共生图形。

图5.7.13　反转图形

图底转换表现了一种虚与实、正与反、阴与阳相互转换的关系，中国古代哲学家很早就提出了“虚实相生、阴阳互补、福祸相倚、天人合一”的理论，这一辩证思想对近现代设计理论产生过很大影响。反转图形在广告创意中常有运用。（图5.7.13）

（三）悖论图形

悖论图形常常是一种反逻辑、反常理的图形表达，在不符合常理的悖论中表达某种深刻寓意。图形表达方式常运用夸张、离奇的表现手法。（图 5.7.14）

（四）渐变延异图形

即运用渐变延异的方法构成的图形。在图形设计中常运用渐变延异方法传达某种愿望或某种意义。如，将炮弹渐变延异成鸽子，强烈传达出反对战争希望和平的愿望。渐变图形可以是两个形的相互增减而使形状渐变，或以形的分裂与迁移而形成各种渐变的基本形，也可以是形态由一个形渐变成另一个形的移入渐变。埃舍尔在《天与水》的画中充分利用了渐变延异的方法，使水中的鱼和天上的飞鸟有机地结合在一个空间中，图形的下面是黑色的水，水中有白色的鱼在游动，渐渐地过渡成白色的天空，水中的鱼也转化成天空中飞翔的黑鸟。它们相互衬托在一起，生动而自然，天地相连，时空交错，在形象和意义之间充满了变形、矛盾、歧义和隐喻。埃舍尔用某些相关的性质和结构去暗示意义，这是相似性联想的结果，是图形主题的隐喻。（图 5.7.15）

图 5.7.14　悖论图形

图 5.7.15　渐变延异图形

（五）夸张图形

夸张是设计师最常借用的一种表现手法，夸张图形有时是将图像整体夸张，有时是将图像中的某个特殊部位或个性美进行明显地夸张。凭借于想象，充分夸张图像的特征，造成突出的、新奇变幻的视觉效果，以此来加强图形的艺术感染力。（图 5.7.16）

（六）变维图形

变维图形是改变图形维度，如由二维变为三维或四维图形。在维度的变化中表现一种幻象，创造出一种时空变幻交错的视觉效果，常给观者带来丰富的想象。变维图形丰富了图形空间维度的表现力，打破了维度之间的界限。广告设计利用变维图形扩展了想象的视野，将现实与梦幻组合在一起。（图5.7.17）

图5.7.16　夸张图形

图5.7.17　变维图形

（七）矛盾图形

矛盾图形是由矛盾空间衍生出来的一种图形表达方式。矛盾图形是指图形在二维平面上表现三维空间的矛盾性，形成一种矛盾的错视。表现为非现实的无理图形，形成一种假想空间、梦幻空间、错觉空间和非现实性的矛盾空间，表现为一种矛盾的、不合理的、非现实的图形形式。矛盾空间源于达达派和形而上学派，以及OP艺术和超现实主义者的创作思想。画家埃舍尔以一种深刻的哲学思想，在他的作品中表现出不同形式的矛盾空间图形、不合理图形、变维图形等，形成了一种悖论的“怪圈”。设计师经常用矛盾图形的创意方法进行广告创意表现。矛盾空间的表现方法：（1）视角变换构成的矛盾图形（也称视点分离）。（2）形状交叉错接形成的矛盾图形。（3）视错觉形成的视幻觉图形。（4）共用面（形）形成的矛盾错觉图形。（图5.7.18）

（八）戏谑图形

戏谑图形是用一种超然的、荒诞的、滑稽的手法，表现出一种具有讽刺的、反潮流的和前卫的思想意识的图形，戏谑图形吸收了某些达达派、前卫派和实验艺术的创作观念，在图形创意上能产生离奇的图形表达效果。（图 5.7.19）

图5.7.18　矛盾图形

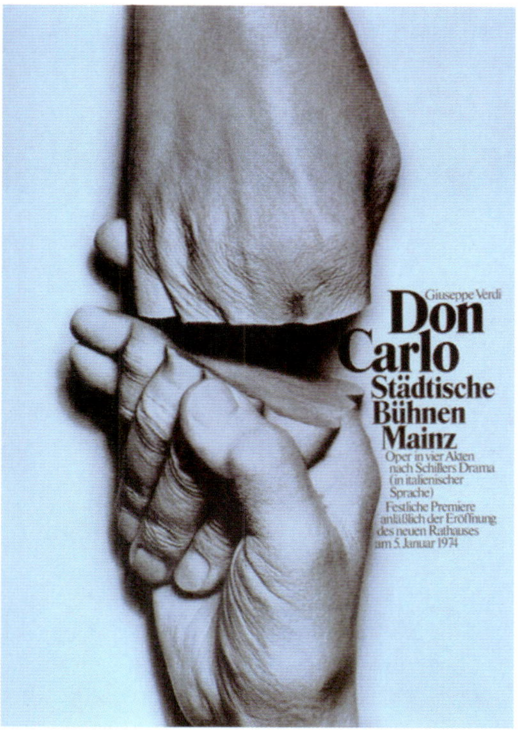

图5.7.19　戏谑图形

（九）换位图形

换位图形是将图形中的某一形象或位置换成另一形象或位置。通过位置或形象的置换表现一种新奇的创意。移花接木、张冠李戴、偷梁换柱都能改变原有形态的性质，通过形状的换位而赋予图形一种新的特征。广告设计创意也常使用此种方法。（图 5.7.20）

（十）同构图形

同构图形是将不同性质的图形或不同特征、相同性质的图形同构在一起，例如中国神话中传说的伏羲与女娲蛇身人面构成，还有埃及金字塔前的狮身人面像，丹麦童话中的美人鱼等，都可看作是同构图形。通过形的同构，图形就产生了一个新的意义。（图 5.7.21）

图5.7.20　换位图形

（十一）拟人图形

拟人图形是把客观事物或形态进行人格化的图形处理，它赋予图形人性化的色彩，在图形创意中，万物皆有灵性。拟人图形常运用夸张、幽默和动画的表现手法进行图形创作。拟人的表现手法具有亲切、活泼、生动的特点，易被观者接受和喜爱，是设计师常采用的一种广告创意表达方式。（图 5.7.22）

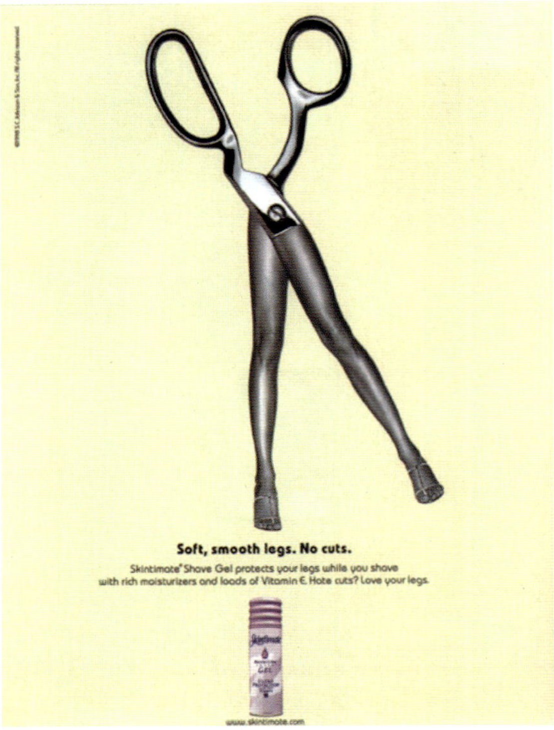

图 5.7.21　同构图形

图 5.7.22　拟人图形

（十二）共生图形

共生图形是在线或面相互依存条件下形成的图形。共生图形利用共用形、共用线、共用空间，通过形的共生、形的借用、形的互换组合成新的共生图形。毕加索的《和平的面容》就是借共用线把和平鸽、橄榄枝和少女巧妙地组合为一体。共用形在形的表现上相互映射、形的同异关系上相互借用，虚实相合、共形相生，形的共用性形成“一形多义”的共生图形，给人以无限的想象空间。（图 5.7.23）

图 5.7.23　共生图形

（十三）隐现图形

隐现图形是通过图形造成一种视差，使其形状若隐若现。视觉经验一般对完整图形比较容易判断，而隐现图形则易迷惑视觉判断，因为“隐”和“现”的图形都不是完整的图形，他们或相互交错，此隐彼现或利用错视图底转换，共用形或共用线，形成隐现图形。

隐现图形的表现方法：（1）切割图形构成（单幅图片或双幅图片）。（2）利用共用线或共用形构成。（3）利用图底转换或错视构成。（图5.7.24）

图5.7.24　隐现图形

（十四）坐标变换图形

坐标是确定图形、比例、位置的依据，通常使用的是正交坐标。如果将正交坐标变形，正交坐标内的形态也随之改变。其作法是：先在图形上画好正交坐标，以此为模式，然后再画另一张任意改变坐标比例的形，将图形再画入其中，注意的是横竖坐标数不得改变。

通过坐标改变产生的图像变化，是一种拓扑变形。拓扑学是几何学的一个分支，它用非数量方式所表示的空间关系来研究空间变换。这种空间概念只涉及各种空间关系的次序，而同它们的方向、形态、距离等无关。人们能够认为一个物体或一个系统的不同属性是变量，并能够用坐标系来描述变量，这种坐标系的维度，同可区分的属性一样多。在拓扑图形表现上，拓扑变形性质，表现为图形在一对一的双方连续变化下，性质不变，图形产生改变。同样，画在橡皮膜或气球上的图形，受到外力时形状会产生变化（拉伸、挤压、膨胀、扭转等），但图形性质不改变，如线的闭合性、相交性等。人照哈哈镜产生的变形，也是一种拓扑变形。（图5.7.25）

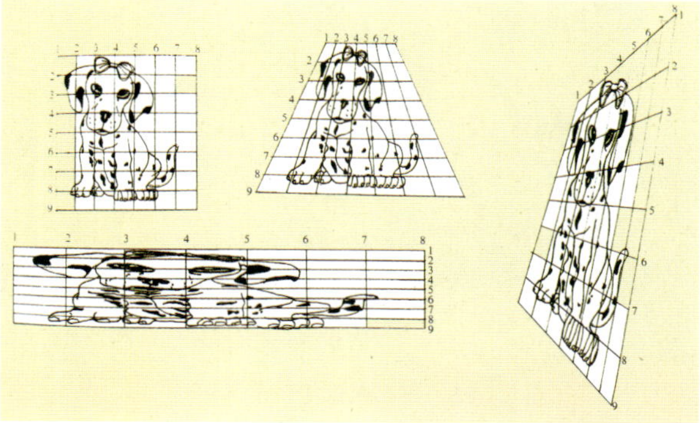

图5.7.25　坐标变换图形

（十五）拼贴图形

拼贴图形构成是将采集到的各种平面素材，采用各种不同的拼贴手法构成图形。拼贴可运用图形构成的各种形式语言，表现极为自由。将不同时间和空间的物象构成在一起，创造出一种超然的图形构成形式。常用的拼贴手法有：（1）集合构成，是选取表现内容一致或相近的各种图片，根据图片中图像所表现的特征和色彩等，重新组织拼贴。（2）超然构成，打破时间和空间的限制，不受任何约束。图形自由组织，表达某种隐寓的观念。（3）切割构成；可以是规律的切割，也可是自由的切割或撕割构成。（4）变维构成，是改变图像维度的一种拼贴手法。（5）同构图形，将不同性质的图形或不同特征、相同性质的图形同构在一起，例如中国神话中传说的伏羲与女娲蛇身人面构成。还有埃及金字塔前的狮身人面像，丹麦童话中的美人鱼等，都可看作是同构图形。（6）移花接木，在拼贴构成中，将图中的某一结构或形态改变成另一种结构或形态，张冠李戴、偷梁换柱也包含相近的含义。（7）运用“蒙太奇”的方法构成，“蒙太奇”是指电影剪辑的一种表现手法，可以把不同的时间、空间、地点及不同内容的事件，通过剪辑编排在一起，利用这样的方法，重新组织图像。

图形的表现方法除上面列举之外，还能总结出很多，如：符号图形、打结图形、虚画图形、拉锁图形、隐藏图形、歪像图形、重叠图形、穿透图形等。总之，在图形创意中不管运用什么表现方法，其目的都是为广告设计目的服务，使图形设计更准确、更恰当、更巧妙、更富于寓意地传达出设计者的目的和观念。（图5.7.26、图5.7.27）

图5.7.26　拼贴图形（一）

图5.7.27　拼贴图形（二）

四、图形在广告设计中的运用

图形创意是广告图形设计的关键。图形创意具有强烈的独特性，优秀的图形设计都会依据设计目的进行独辟蹊径、出其不意的图形创作，使广告设计事半功倍。

（一）广告创意图形要简洁明了

图形简洁是信息传达最有效的保障。要想在极短的时间里让受众记住广告信息，图形或图像一定要简洁明晰，避免图形繁琐和表达信息的不准确。人们每天都被大量的信息所侵袭，受众不愿意接受那种烦琐而无新意的图形信息，而更愿意接受简洁而有创意的图形信息。所以，广告图形设计只有做到简洁、明确、清晰，才能更有效地保障信息传达给受众。许多时候，广告设计中太多的烦琐装饰，不但无效，反而影响了主题信息的传达。

（二）故事性的创意会吸引受众

图形创意要想抓住受众心理，故事性的表达是有效的方法，图形或图像通过传达某个情节的暗示，抓住受众心理，即使是一眼瞥到这样的图片时，受众也会想“这是怎么回事？”然后有兴趣继续读下去。在照片上注入越多的故事性诉求，就会有更多的人注意你的广告信息。

（三）广告创意图形要考虑消费者的接受程度

图形创意一定要考虑消费者的接受过程，消费者通过广告了解商品和品牌，多半情况下，是被动地接受广告信息的。所以，图形创意要考虑消费者的接受程度，简洁、明晰、清楚的广告信息，容易被消费者接受，但太直白的广告表现也不会吸引消费者关注，而刻意将图形创意做得好像很有深度、表现复杂、结构烦琐、故弄玄虚，使消费者看后一头雾水，就失去了广告信息传达的意义。优秀的广告设计应该是运用准确、清晰、独特、恰当的图形创意传达广告信息，达到吸引并打动消费者的目的。

PART 6

第6章

招贴广告设计

招贴广告是广告设计运用中最普遍的一种形式，招贴也称“海报”，通常指单张形式、可张贴的印刷广告。它是最古老的广告形式之一。招贴按其字义解释，“招”是指引起注意，“贴”是张贴，即为“招引注意而进行张贴”。英文是“Poster”，在牛津英语词典里意指展示于公共场所的告示。招贴广告的特点是：传播信息及时、制作成本费用低、制作方法简便、创意内涵深刻、表现形式丰富多样，深受设计师和普通人们的喜爱，是一种非常有效的广告传播形式。

由于招贴广告的特征表现，招贴是使用最频繁、最广泛、最便利、最快捷、最经济的信息传播手段。招贴所具有的独特感染性和创意性的设计表达，也深受人们的喜爱。招贴设计不但具有实用传播的价值，早期的招贴还具有极高的艺术欣赏价值和收藏价值。

招贴的生命和灵魂在于创意，创意性是招贴创作的核心，它能使招贴的主题突出并具有深刻的内涵。招贴能否在瞬间吸引观众，使观众产生心理上的共鸣，从而达到迅速准确地传达信息的目的，已成为招贴作品获得成功的最关键因素。

第一节 招贴广告的分类

一、招贴广告的类别

招贴广告表现内容非常丰富，包罗万象。但主要可以分为公共招贴和商业招贴两大类。

（一）公共招贴

公共招贴也称公益广告。公益广告是以社会公益性、道德价值观和国家政策宣传为主要内容的广告，例如传统文化、世界和平、环境保护、生命健康、节约资源、非遗传承、志愿奉献、社会服务、交通安全、友谊交流、节日庆典、反腐倡廉、爱国爱家等主题的公益广告。（图6.1.1至图6.1.3）

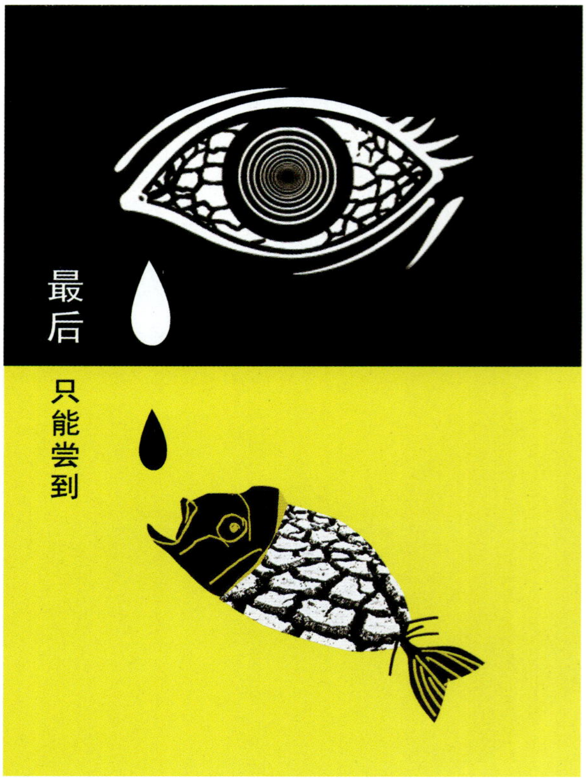

图6.1.1　公益广告（一）

（二）商业招贴

商业招贴是以直接宣传企业形象、促销商品及商业服务，满足消费者需要

图6.1.2　公益广告（二）

图6.1.3　公益广告（三）

内容为主的广告，如产品形象广告、品牌形象广告、企业形象广告以及商业会展、文化体育、电影戏剧、交通旅游、集邮收藏、艺术展览、房地产销售、银行电信服务、金融信贷服务等广告。（图6.1.4至图6.1.6）

图6.1.4　商品广告（一）

图6.1.5　商品广告（二）

随着科学技术日益进步，广告媒介越来越多样化，但招贴广告作为一种直接且创作自由、创意和表现内容丰富的广告形式，还将发挥重要的作用。

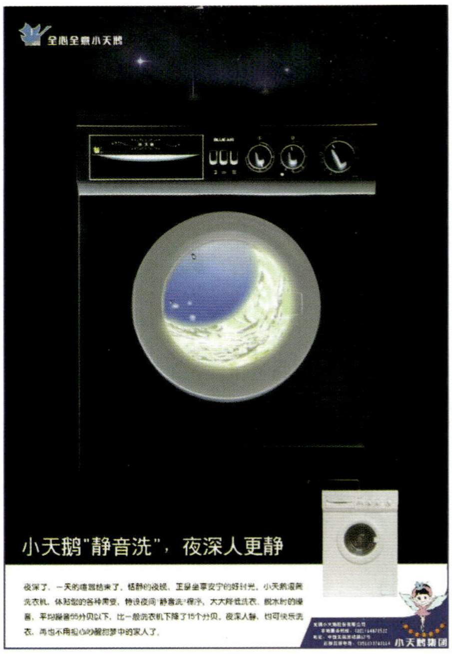

图6.1.6　商品广告（三）

第二节　招贴广告的设计流派与风格简述

招贴广告有很长的发展历史，世界各国由于历史文化、地域环境、经济条件、民族传统、价值观念等差异，逐渐形成了各国不同的招贴风格。各国在招贴广告设计方面也形成了各自的特色。

世界上出现最早的具有广告特征的招贴，是考古学家在埃及古城底比斯遗址发现的一份3000年前的文字招贴告示，尺寸只有20厘米×25厘米。文字表述的意思是：招贴主愿意悬赏一个金币捉拿逃跑的奴隶。这份招贴现存于英国伦敦博物馆。

印刷术是中国古代的伟大发明，它的发明、发展及向世界的传播，对人类文明和社会进步作出了巨大的贡献。15世纪中国印刷术传入欧洲，欧洲的印刷形式逐渐得到发展，这又进一步影响了世界。

19世纪末，西方近现代工业社会得到长足发展，商品经济得到了繁荣，广告逐渐成为促进商品经济发展的一种手段。这一时期的商业招贴主要是招贴广告与招牌广告。当时著名的画家如英国插画家比亚·兹莱和法国画家劳特雷克等都做过广告设计。（图6.2.1、图6.2.2）

法国是现代商业广告的发源地。法国最早的招贴广告设计者是朱尔斯·谢雷特（图6.2.3），其在1866年从英国学习色彩石版技术后，将其运用到广告印刷上，风行一时，被称为现代“广告之父”。他在巴黎自己的印刷厂里制作了首张彩色的平面招贴广告，之后又创作出1000多幅招贴广告。他还荣获首届国际招贴展览金奖。当时招贴广告主要集中在巴黎和伦敦，随后，欧洲其他各国也开始盛行招贴广告，并出现了不少杰出的招贴广告设计家。法国较注重优雅和自由的设计表达，设计语言的探索深受古典艺术和现代美术思潮、流派的影响，有时更注重古典主义、人文主义情调的表达。

图6.2.1　招贴（劳特雷克）（一）

图6.2.2　招贴（劳特雷克）（二）

图6.2.3　招贴（朱尔斯·谢雷特）（三）

20世纪初，招贴广告设计受到立体派、未来派、分离派、抽象派、风格派、构成主义、超级现实主义和表现主义等绘画流派的影响较大，使招贴的表现形式有了较大变化。（图6.2.4）

英国在第二次世界大战后，开创出一种合理主义图形设计风格，注重哲理的分析，其理智分析和功能主义视觉特征的表现形式具有一定的国际影响力。

德国广告主要强调功能性和构成主义风格，应用象征意义的手法，使人产生新的联想和意境。德国招贴作为世界招贴的重要学派之一，早在第二次世界大战之前就已形成。招贴设计的艺术表现形式受到当

图6.2.4　构成主义招贴

时艺术风格和艺术理念的影响，其中主要是受到德国包豪斯理念的影响。纳基的组合照片形式的招贴设计、包豪斯的招贴设计、导师拜尔利用垂直线形式设计的招贴构图，还有约翰·哈特菲尔德创造的拼贴式招贴等，这些招贴的共同特征是强调功能性和构成主义风格，运用象征意义表现手法进行招贴创作。他们的招贴广告设计给人以新的联想和意境。

瑞士风格最为突出的表现，就在于注重运用字体设计传达信息的作用，同时也特别讲究图形符号的合理应用，有人把瑞士图形符号的设计看作是现代商标的开始，一直延用至今的无饰线体拉丁字就是由瑞士设计师最终完成定型设计的。瑞士自第二次世界大战之后，在招贴设计上取得了令人瞩目的发展，享有招贴设计大国的地位，其招贴成为世界招贴的重要学派之一。“新浪潮”平面设计运动，由在瑞士巴塞尔（Basel）的与国际主义平面设计运动关系密切的设计师所发起，强调人的直觉对设计的制约，主张为了表现可以降低可读性。设计形式有硬边几何抽象图形、构成的版式应用等。瑞士的招贴发展中心有两个，一个在苏黎士，另一个在巴塞尔。

波兰在第二次世界大战之后，作为一个社会主义国家，其招贴不以商业性为目的，而作为一种社会教育形式出现，却得到了极大的发展，以至其成为世界招贴的重要学派之一。波兰招贴的发达主要靠两大因素，其一是政府特别重视招贴的发展；其二是群众特别喜欢观赏招贴。具体因素：（1）波兰的招贴设计有自己的传统；（2）波兰的招贴设计受到政府的支持和帮助，政府意识到招贴在意识形态领域宣传中的作用；（3）波兰民族偏好明朗而细碎的装饰风格，而招贴是表现民族特有审美情趣的最好方式之一。当时二战刚结束不久，为摆脱战争的阴影，用招贴表达对战争的悲惨记忆和对未来和平的渴望就成为有意义的纪念方式。波兰招贴设计的风格是色彩明快、感情突出、图形象征、意义隐喻、极富创意、艺术表现形式丰富多样。代表人物有特拉伯可夫斯基、托玛泽维斯基。波兰从1964年开始主办隔年一次的“华沙国际招贴艺术双年展”，并成了两年一度波兰文化生活中的一件大事。波兰政府还在华沙附近的维拉诺夫建成了世界上第一座招贴广告艺术馆，这也促进了招贴设计的发展。

美国经济发展相对较快，招贴广告的发展也随其经济的发展超过了欧洲各国。美国招贴从开始就没有被传统的欧洲装饰风格所束缚，表现出强烈的商业功利倾向，重视商品视觉信息的传达。表现手法既有写实的自然主义风格，又有抽象的象征主义风格。随着第二次世界大战的爆发产生了大量政治性招贴广告。美、英、苏等国家都出现了大量反纳粹题材的招贴广告，起到了非常大的宣传鼓动作用。二战后，美国招贴更加重视商业功能和作用，商业文化发达，商业设计也一直保持着世界大国的地位，以纽约为中心形成了招贴设计的重镇。美国人喜欢冒险、较少受传统束缚，招贴设计注重商业利益，以商业广告目的为第一原则。其招贴风格更多是利用摄影技术和现代印刷手段直接表现商品为主，但也不乏其他表现风格。

总的来看，欧洲的招贴较注重艺术观念和艺术形式的表达，具有人文情怀和文化特征；美国的招贴较注重实用主义和商业目的的传达；日本的招贴较注重东、西方文化和特征的结合。

随着历史的发展，全球招贴设计时代的到来，各国招贴设计师相互学习交流，招贴设计更注重各个国家自己的民族文化特征，深刻挖掘本民族优秀的传统文化内涵进行招贴设计创意表达。

中国最早出现的印刷广告是11世纪的宋朝时期，山东济南刘家功夫针铺的一张印刷广告物。这一印刷铜版陈列在中国历史博物馆内。铜版上面雕有“济南刘家功夫针铺”字样。画面中间是白兔抱铁杵捣药的插图，文字为：“认门前白兔儿为记”，下部还有说明文七行二十八字，它除了广告作用外又兼作包装纸用。

当代中国招贴设计，不管是在商业招贴设计应用上，还是公益招贴设计上，所传达出的东方设计理念和思想包括色彩观念、图形图像样式、艺术表现形式，意象图形表达方式等，既传播商业信息，也传播公共信息和价值理念，并在世界各种招贴设计展览和交流中越来越被世界人民所接受和喜爱。

第三节 招贴广告的功能特征

一、招贴广告传播功能

（一）信息传播面广

传播信息是招贴广告最基本、最重要的功能。无论是商业招贴广告，还是公益类招贴都充当着传递信息的角色，不受空间场地限制、制作成本低、张贴传播广，更容易吸引人们注意，起到信息传播的特有功效。

（二）树立企业形象、促进产品销售

市场经济的一个重要特征是竞争性，竞争会加速企业的成长和发展。这对于企业来说是挑战，也是动力。企业竞争是多方面的，但主要表现在两个方面，一是产品内在质量的竞争；二是企业经营理念、管理方法、市场营销、品牌形象、产品形象、广告创意、广告设计、广告表现和信息传播的竞争。随着科学技术的不断发展和提高，产品的内在质量差异性将愈来愈小，而企业形象、品牌形象、产品形象非常重要，成为影响消费者选择的重要方面。招贴作为广告信息传播的一种有效媒介，就更加显得必不可少。招贴广告还可以用来树立企业的良好视觉形象、提高产品的知名度、开拓市场、促进产品销售、增强企业的竞争力。（图6.3.1至图6.3.6）

图6.3.1　商品广告（一）

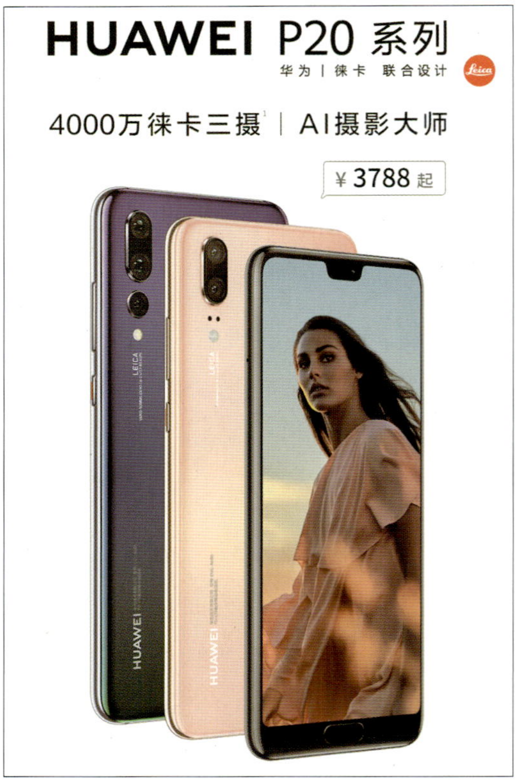

图6.3.2　商品广告（二）

图6.3.3　商品广告（三）

图6.3.4　品牌广告（一）

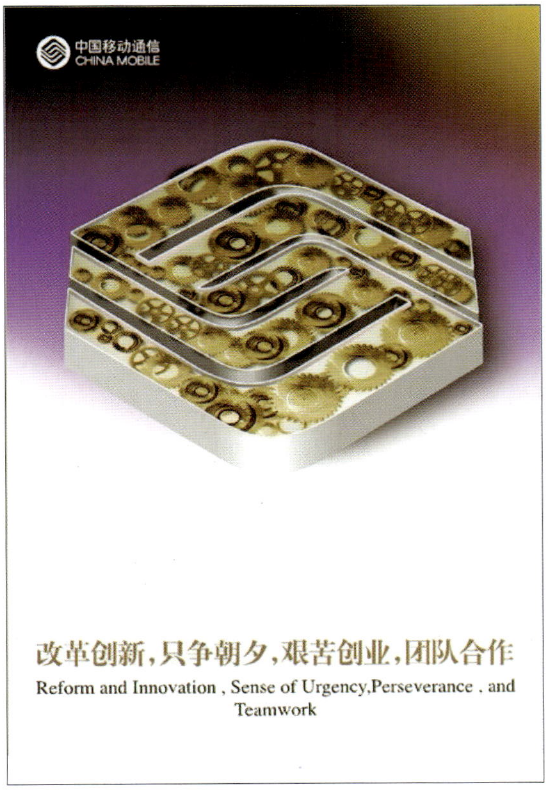

图6.3.5　品牌广告（二）

图6.3.6　品牌广告（三）

（三）视觉冲击强、更具审美形式

招贴的表现形式更具有丰富的审美特征，其独特的创意表达，图形、色彩、文字强烈的视觉传达，起到一种“说服”的作用，表现一种观念和信息，使受众感受到审美的愉悦和强烈的视觉冲击。现代招贴设计非常重视视觉审美和思想观念的传达。

二、招贴广告的审美特征

招贴的审美特征具有创意鲜明、寓意深刻、表达简洁、视觉强烈、形式多样等特点。

（1）招贴广告一般在创意上都具有鲜明的思想理念，不论是公益招贴还是商业招贴，其思想理念的传达是其鲜明的特征。

（2）招贴广告在表现形式上生动活泼、形式多样，非常注重图形语言的传达，通过图形语言的表达方式和强烈的视觉冲击，吸引消费者注意。

（3）招贴广告在表现形式上言简意赅、清晰明确，易于形成强烈深刻的视觉记忆印象。

（4）在发挥广告说服功能时，招贴设计常用软性诉求的方式，使消费者在心理上易于接受。

第四节 招贴广告视觉语言表达

视觉语言传达是招贴设计创意的灵魂。招贴通过视觉语言表现形式的运用，将招贴想要传达的思想观念、情感理念、广告目的传达给受众。

一、招贴视觉语言元素

招贴的视觉语言元素包括图形、色彩、文字、肌理、构图形式、表现方法和设计风格、设计理念以及运用的印刷工艺技术、张贴环境的借形创意等内容。（图6.4.1至图6.4.4）

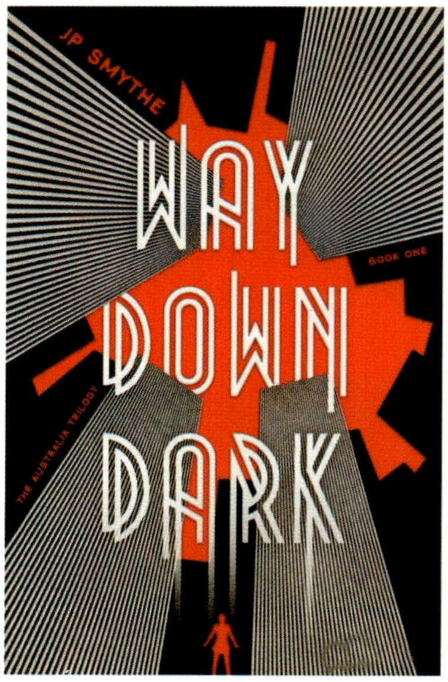

图6.4.1　招贴广告（一）

图6.4.2　招贴广告（二）

图6.4.3　招贴广告（三）

图6.4.4　招贴广告（四）

二、招贴视觉语言的传达

（一）图形语义的表达

图形语义十分丰富，设计师通过图形创意表现和运用不同的图形创意方法，赋予单纯的文字、景物、动物、器物以及几何图形等一种新的、富有寓意的图形语义。（图6.4.5至图6.4.8）

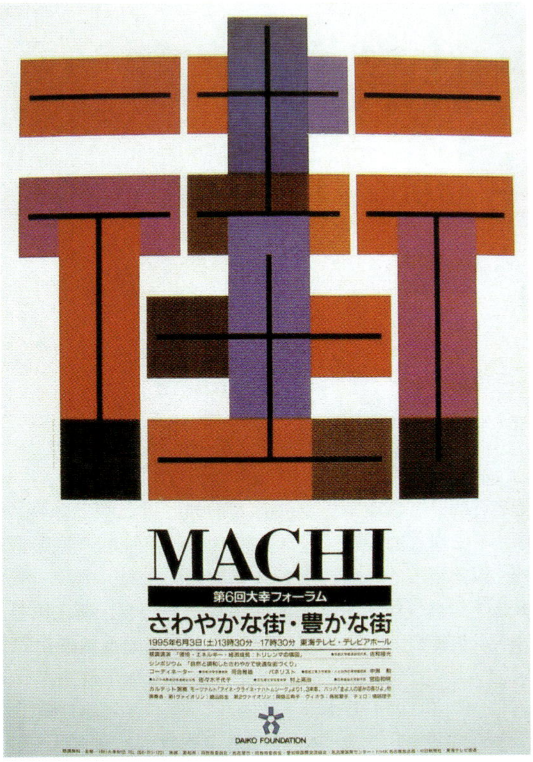

图6.4.5　招贴广告（五）

图6.4.6　招贴广告（六）

图6.4.7　招贴广告（七）

图6.4.8　招贴广告（八）

（二）具象形、抽象形、装饰形、象征形的图形语义

（1）具象图形是指在视觉经验的基础上，对自然物象忠实再现的图形。具象图形具有真实性、亲切性、明确感知性等特点，是最为丰富的视觉语言元素，是具有客观性的图形。（图6.4.9）

图6.4.9　招贴广告（九）

（2）抽象图形是指从自然物象中抽取、提炼出其本质属性，形成的脱离自然痕迹的图形。抽象图形的形式也存在自然界中，表现为一种自然的抽象形式，也有人为加工的几何抽象等。抽象形包含人赋予形的一定意义和精神，抽象图形代表一定的主观性。抽象与具象取决于人们对图像的观察角度，二者是相对的、辩证的关系，具象包含抽象，抽象也包含具象，具象与抽象有着对立统一、相辅相成的关系。（图6.4.10至图6.4.13）

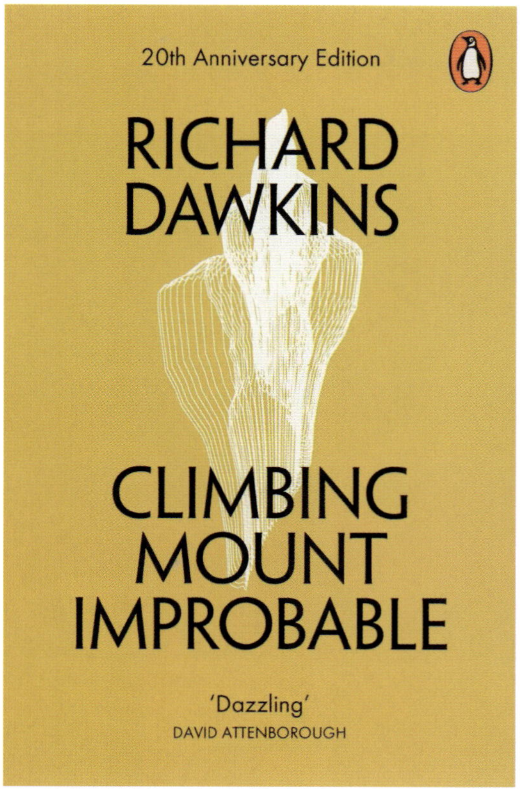

图6.4.10 招贴广告（十）

图6.4.11 招贴广告（十一）

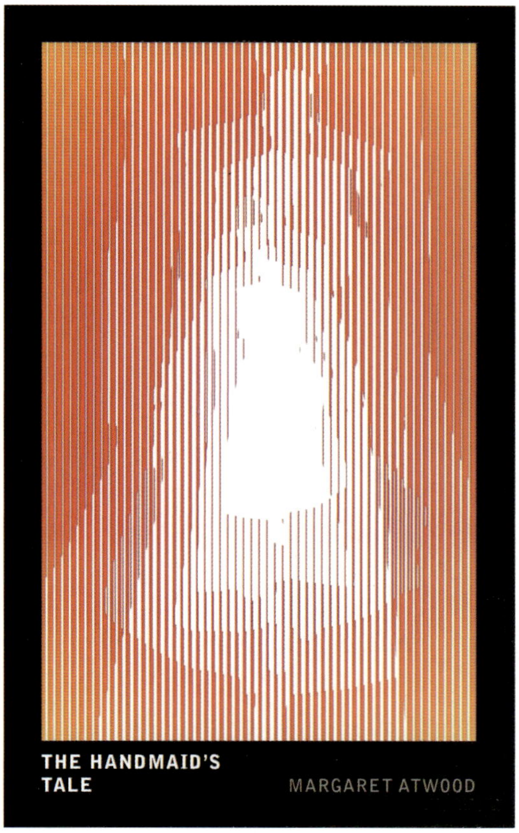

图6.4.12 招贴广告（十二）

图6.4.13 招贴广告（十三）

（3）装饰形是指人为加工的形态，是主观赋予自然形一种美好的情感和理念的加工设计形态。装饰图形是从自然物象中提炼、变化出来的形象或形态。（图**6.4.14**至图**6.4.17**）

图6.4.14 招贴广告（十四）

图6.4.15　招贴广告（十五）

图6.4.16　招贴广告（十六）

图6.4.17　招贴广告（十七）

（4）象征形是人们对形的一种精神赋予，与自然、文化、历史、宗教、传统、习俗、种族、

图腾、信仰、理想等有直接关系，象征形可以是抽象形也可以是具象形。（图6.4.18至图6.4.21）

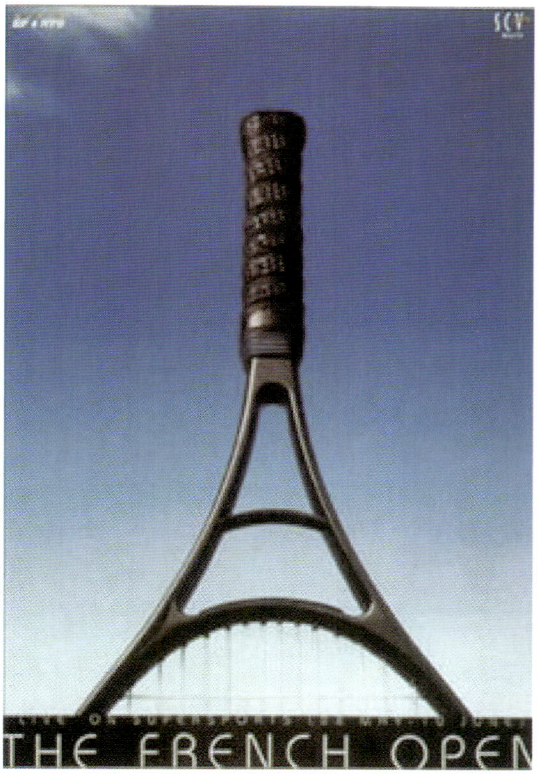

图6.4.18　招贴广告（十八）

图6.4.19　招贴广告（十九）

图6.4.20　招贴广告（二十）

图6.4.21　招贴广告（二十一）

第6章
招贴广告设计

三、招贴视觉语言中的意象表达

意象是对形的某种情绪、心境、感性的认知。在视觉语言的范畴里，意象是由主观的、理性的并带有一定意向的精神状态和客观的、真实的、可感知的感性图像的融合，并通过视觉的形式表现出来。每个人对意象传达的感知是不同的。意象与表象的区别在于：表象是一种感性认识的产物，是浮现在人脑中朴素、表面、外化的感性形象；而意象则具有理性的成分，是发自内心的、被心灵所感染的感性形象。中国画的写意性有着某种心灵与物象的契合，并运用笔墨和图式的语言进行写意的表达。意象在视觉语言中是一种有意识地将主体的“意”与客体的“象”相结合的产物。它既要使“意”更深入，又要使“象”更生动，使二者结合得自然和谐，使观者从图形的意象中得到更清晰、更准确的信息。

意象是通过图形语言传达，使之成为寓意深刻、生动感人的图形形象。关键是意象如何表达、视觉语言符号如何表现、观者对意象表达的理解等，这些都要求设计师准确把握和如何运用视觉语言的意象表达。（图6.4.22至图6.4.30）

图6.4.22　招贴广告（二十二）

图6.4.23　招贴广告（二十三）

图6.4.24　招贴广告（二十四）

图6.4.25　招贴广告（二十五）

图6.4.26　招贴广告（二十六）

图6.4.27　招贴广告（二十七）

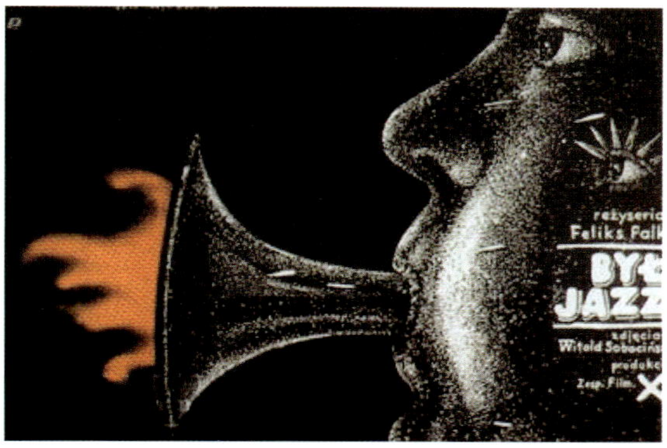

图6.4.28　招贴广告（二十八）

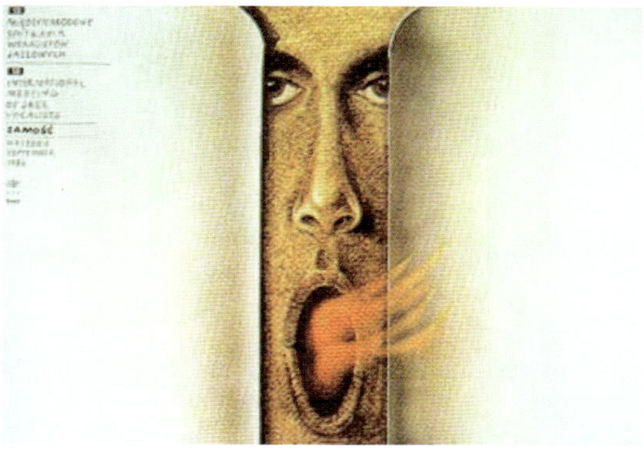

图6.4.29　招贴广告（二十九）

图6.4.30　招贴广告（三十）

四、招贴视觉语言创意与表达方法

（一）视觉语言创意

视觉语言创意是一种创造性思维活动，是充分发挥想象思维和创造性思维，将想象和意象形象化、视觉化的表达过程。招贴广告创意是通过对创意主题的深刻思考和系统分析、想象、联想到创意表现的思维过程，这一过程是图形视觉语言创意的关键环节。人的思维是由认识客观事物的表象开始，再将表象记录到大脑中形成概念，而后将这些来源于实际生活经验的概念提炼、加工，寻找到有意味的视觉符号，这一符号能够表现主题内涵，并可以运用创意方法进行表现。图形创意就是以图形语言所能传达出的特定观念为目的进行的。 视觉语言的创意表达，体现出设计师的综合能力和素质，包括思维能力、感受力、记忆力、理解力、判断力、想象力、创造力、观察力、表现力等。其中，想象力在创意中是最重要，因为没有想象就没有好的创意产生，充分地发挥想象和有效地进行思维训练，才能激发出无穷的创意。

视觉创意表达同其他艺术形式创意一样，具有准备、调查、整理、酝酿、沉思、发现、爆发、反复、求证几个阶段。需要运用形象思维、逻辑思维、情感思维、直觉思维等思维形式。

视觉创意的特点是要做到表现的内容与表现方法完美统一。

（二）视觉语言的创意思维方法

视觉创意思维方法大致可分为四种：联想、比喻、象征、拟人。

（1）联想

联想是人类所具有的一种创造性思维方式，通过联想，可以打开创意思维的大门，使有形的图像转化创造出新的形象。联想思维是创意的关键，也是形成设计思维的基础。客观事物是相互联系着的，反映在人的大脑中就形成心理联系，这种由一个事物的经验引起回忆另一事物的经验的过程就是联想的过程。联想具有四种基本类型：接近联想、类似联想、对比联想以及因果联想。对视觉语言来说，联想就是从要表达的内容联想出另一种相关的事物来，并形成视觉表现。（图6.4.31至图6.4.34）

同构联想：同构是由物体相似因素之间形成的一种关系，这种相似可以是视觉上的，也可以是经验及认知上的。当两种事物可以互为联想结果时，这两种事物就具有了同构关系。可以从A联想到B，从B也能联想到A，这一过程称为同构联想。同构联想就是找寻事物之间同构关系的心理过程。在这个过程中可以充分运用多种联想形式，如接近联想、类似联想等，以求建立最合适的同构关系。

图6.4.31　招贴广告（三十一）

图6.4.32 招贴广告（三十二）

图6.4.33 招贴广告（三十三）

图6.4.34 招贴广告（三十四）

同构联想具有引导功能，即通过抽象的“意”将可视的“形”表达出来。图形可以将无形的概念、意识等以直观的视觉形象表现出来，通过视觉接收及头脑分析，使抽象的信息得以理解。所有视觉图像都具有意义，设计师只是通过同构联想，准确恰当地找出与所要传达的信息有同构关系的图像，创意设计出新的图形。而观者同样也会潜意识地发现“同构联想”的图形含义，引发心理的共鸣。掌握形与意同构的关系，对于图形的视觉传达具有非常重要的意义。

同构联想的目的是寻找与传达信息并能够产生同构的可视图形，而形与意转换的关键在于寻求以意造型、以形表意之间的适合点，达到形与意的同构关系。同构联想在广告设计中主要有以下三种形式：其一，形与形的同构联想。形的同构是指图形由于形的相似性而产生同构图形。在选择图形上要注意它们具备形状相似性，图形的意义和属性可以有所不同。新的同构视觉图形有更深的含义。其二，意与意的同构联想。“意”即图形的含义，图形和意义的关系并不限于一一对应，一形可以多义，一义也可以多形；对于图形设计而言，同一形态设计师可以设计出多种构思巧妙、意义深刻的同构图形。其三，形与意的同构联想。形意同构是把含义和形象综合同构起来，利用含义的相似和形式的相似进行双重构成。这种同构不仅具有视觉冲击力，而且具有很强的心理效应。在广告设计过程中，设计师要准确选择恰当的图像进行组合，完成目的信息的传达。一些优秀的广告，往往既有形的同构，又有意的同构，以意寓形、以形寓意，形成“形意双关”的图形并令人记忆深刻，这无疑强化了广告信息的传达，起到了巨大的功效。（图6.4.35至图6.4.38）

（2）比喻

比喻是在文学中应用最广泛的一种修辞手法，是指用本质不同但有相似点的另一事物来说明或描述该事物的方法，以达到使说明或描述更贴切、更生动的目的。比喻有两层意思：“比”就是把两个事物联结在一起；“喻”是指由于这种联结，使其中一件事物得到映照和揭示。因此，比喻是确立两件事物之间的相似关系，从而使其中的一件事物得到揭示。把要表达的内容作为本体，通过相关联的喻体去表现内容的本质特征，喻体和本体之间要有相同的特征。这种方法常常能把抽象的概念形象地表达出来，其主要包括明喻、暗喻、借喻等几种主要形式。

图6.4.35　招贴广告（三十五）

图6.4.36　招贴广告（三十六）

图6.4.37　招贴广告（三十七）

图6.4.38　招贴广告（三十八）

在广告设计中运用比喻图形能够使平淡的图像变得新奇。通过比喻可以把不相干的事情出人意料地联系起来，把事物原来的形象变形、扭曲、重新组合，创造超越平常的视觉形象，增强作品的表现力、视觉冲击力和吸引力，视觉传达更有意味、更抒发情感、画面更舒畅、更突出形象、更引发人们丰富的联想，形成鲜明、深刻的印象。比喻图形有着独特的作用，它使喻意的信息图形化，使图形化的信息更生动、更感人。

比喻的方法有：

横向拓宽比喻。同样一个比喻的本体，从横向发掘其各个方面的特征，再以此作为比喻的相似点寻求适合的喻体，每一个相似点均可以找到不同的喻体，然后以喻体为基础寻求各种不同的表现手法。这样一个本体能够发展出数量可观、面貌各异的比喻图形，选取合适的图形，作进一步的深入表现，得出比喻图形的创新。

纵向深化比喻。比喻的相似点分析得越深入，越能找到奇特、新颖的角度作为比喻的切入点，使比喻更有新意。以花与美人为例，从古诗中以花喻美人，由普通的形容到栩栩如生、如临其境的描述，可以看出比喻描述更贴切、更生动。在比喻图形中也能够应用这种方法推陈出新。另外，通过比喻使静态的事物动起来，使动的事物活起来，具有了生命活力，使有生命的事物充满个性和情感，这使比喻更加深化。比喻图形可给观者留下深刻的印象和想象的空间。

运用通感比喻。比喻的联想方向有从具象到具象、从抽象到具象等，以及由此再进行细分的各种变化，使相似点具有丰富的层次。将通感运用在比喻中，更扩大了比喻的联想方向，也增加了选择适当的相似点进行比喻的可能性。在日常经验里，视觉、听觉、触觉、味觉往往可以彼此融合，眼、耳、舌、鼻、身各官能的领域可以不分界限。康定斯基曾说“你看到了什么声音？你听到了什么色彩？”颜色、形状会有声音，声音也会有形象，冷暖会有重量感、温度感，气味也会有质感。图形是直观的形象，运用通感，可以有更多的途径把各种类型的本体转换为形象的喻体，使比喻的相似点更为贴切。（图6.4.39至图6.4.42）

图6.4.39　招贴广告（三十九）

图6.4.40　招贴广告（四十）

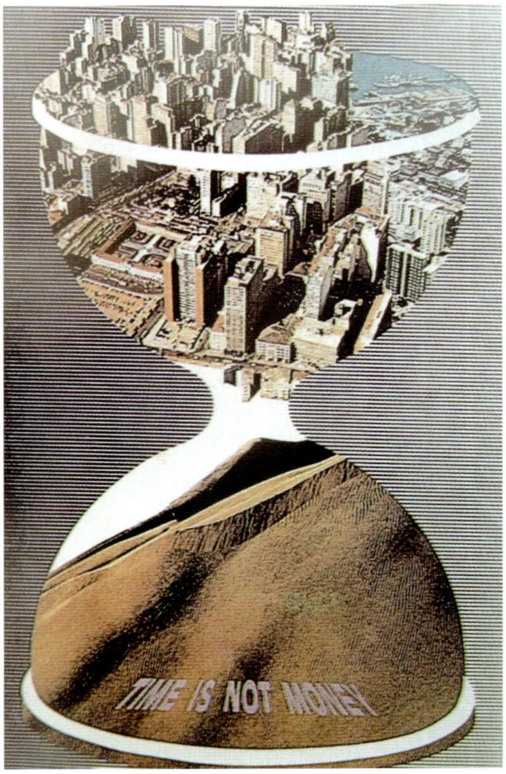

图6.4.41　招贴广告（四十一）

图6.4.42　招贴广告（四十二）

（3）象征

象征与比喻有些相似。象征是以一个抽象或具象事物来表现另一个具象或抽象事物；比喻是用一个具象事物比喻另一个具象事物或抽象事物。它们的区别在于：比喻的两者之间必须有本质联系，象征的两者之间事先不必有本质联系。象征是用具体的事物、形象、图形或色彩来表现某种特殊意义。当某种图形，如人物、动物、植物或抽象的符号、形状、色彩等表现为象征性时，它的意义就超越了其原始意义，而与被象征对象密切联系在一起。象征图形与民族、文化、历史、宗教、政治、社会等密切关联，它表现为历史文化积淀和人类的丰富想象。中国历史悠久、文化灿烂，象征图形非常丰富，如“龙”的图形是中华民族的象征；梅、兰、竹、菊象征君子品格；牡丹是富贵的象征等。从世俗生活到精神理想，象征图形不胜枚举。世界各个民族也都有丰富的与自己文化相连的象征图形。（图6.4.43至图6.4.48）

图6.4.43　招贴广告（四十三）

图6.4.44　招贴广告（四十四）

图6.4.45　招贴广告（四十五）

图6.4.46　招贴广告（四十六）

图6.4.47　招贴广告（四十七）

图6.4.48　招贴广告（四十八）

（4）拟人

拟人是把事物人格化的修辞方式，它能赋予对象人性的色彩。拟人表现了人希望万物皆有灵性。通过拟人形式的表达赋予物以生命，寄托了人类美好的情感。中国人的思维就是认为人是自然界中的一部分，“天人合一”的思想就是将自然界看作有生命的整体。童话、动画电影故事常用拟人的方法表现，使人感到亲切温馨。拟人是这四种图形表达方式中最易被人接受的，拟人图形也是被设计师采用得最多的一种视觉表述方式。（图6.4.49至图6.4.51）

图6.4.49　招贴广告（四十九）

图6.4.50　招贴广告（五十）

图6.4.51　招贴广告（五十一）

第五节　招贴广告设计构图编排

招贴广告构图编排就是将文字、图形、图像、图案、色彩等构成要素进行视觉设计，将各构成要素按照广告主题的要求进行合理的、恰当的安排，处理好构图中画面的对比、调和、均衡、动势、韵律、节奏、空间、形态、主次、风格等关系的构图组合。（图6.5.1）

招贴的设计编排一般注意下列顺序：

（1）根据广告创意要求决定编排风格和表现形式。

（2）根据广告内容来选择需要编排的画面。

（3）依照画面的关系决定主体图形的位置安排。

（4）确定文字、色彩与插图的大致比例关系，并决定它们各自应占的适当位置。

（5）调整确定画面整体布局关系。

（6）考虑各构成要素之间的视觉流程关系。

（7）选定插图并指定位置。

（8）确定附属文字的大小写、排法、字距、行距。

上述顺序有时可根据实际需要作适当调整，灵活运用。

图6.5.1　招贴广告（五十二）

第六节　招贴广告设计表现形式

招贴设计要根据不同的广告内容采用不同的设计表现形式。根据广告内容要求，招贴设计可以采取具象表现形式、抽象表现形式、摄影表现形式、图形图像表现形式、象征表现形式、联想寓意表现形式等。采用的形式手段可以有摄影、喷绘、绘制、拼贴、电脑绘画、电脑图形等手法。

一、招贴广告设计表现形式

（一）具象的表现形式

具象表现形式是以客观内容为主，以具象写实的方法，将客观内容经过加工、概括、提炼、简化，通过形象化的表现手法，突出其本质特征。这种经过艺术加工后的具体形象高于原对象艺术的表现，但又具有原对象的特征，是原对象形象的浓缩与精练 ，是源于生活又高于生活的真实。具象的表现形式具有直接、明确、清晰的特点，具有鲜明的形象性，形象生动、含义清晰、表达明确，能达到真实可信的传播效果。

图6.6.1　招贴广告（五十三）

具象的表现形式是以写实的手法表现客观对象，如商品形象的具体形态、结构、材料、使用方法等，以此来真实表现广告主题。或者以真实具体的人物作为产品形象代言人，这也是一种真实具体的具象表现方法。具象表现方法要求画面更生动、构图更独特、形象更精彩、表现更感人，靠真实情感打动观者。（图6.6.1）

（二）抽象的表现形式

抽象表现不受客观具体形象的束缚，充分运用抽象语言表现形式来传达广告主题。因为有的广告主题是比较抽象的概念，不适合具象的表达方法，运用抽象的方法更能表现主题内容。抽象表达方法可以运用构成的方法，概括地运用点、线、面形式以及色彩的组合进行设计传达。通过抽象图形视觉语言的符号化表达主题。以抽象的、单纯的表现形式概括、提炼所要表达的主题，更具有个性鲜明的视觉特征，传达给人以更大的想象空间。

图6.6.2　招贴（一）

抽象的表现形式更多的是以形状、色彩、图形、图表、符号等概念或象征来表达内容，这也极大地扩展了招贴的形式表现语言，形成了抽象的表现形式及独特的表现特征。（图6.6.2）

（三）装饰与夸张的表现形式

有些广告主题不适于具象和抽象的表现形式，而更适合运用装饰与夸张的表现形式来进行表达。装饰的方法是一种高度概括和美化的表现形式，夸张则表现为对形象特点的高度强调，两者都是为突出主题内容的特征并加以强化的表达。装饰与夸张的表现形式是既客观又主观的一种表达形式，也可以说，是高度概括客观的主要特征，通过运用一种主观方式进行视觉表达。装饰与夸张的表现形式是主观赋予客观内容一种美好的情感和理念，并通过图形或图像装饰的、夸张的表现形式完成的招贴设计。“装饰与夸张的表现形式”巧妙地对客观物象的特征进行了审美化、突出化、情感化处理，增加了设计的美感张力和艺术表现力。（图6.6.3）

图6.6.3　招贴（二）

（四）摄影的表现形式

摄影在招贴设计中具有无可比拟的独特优势，它已经成为招贴设计领域最主要的表现形式之一。摄影通过多种表现方法，以及精湛的拍摄技巧，既可以逼真地再现客观物象的外部形状、色彩、质感或局部的细节，也可以真实地再现客观物象的内部结构，还可以营造画面美妙的意境，使所要拍摄的对象和所要表达的情感互为融合。

摄影照片由于具有直观形象性、真实性和客观性，不但吸引消费者的注意，还能极大地增强广告诉求的可信度，从心理上缩短广告与受众之间的距离，从情感上获得人们的信任，从视觉上对观者产生强烈的吸引力，使广告更具打动人心的力量。摄影在表现招贴主题、传达商品信息方面更具有高度真实感、形象感和独特的创意表现形式。真实的形象能使消费者对广告所要传达的信息产生更大的兴趣和好感，最终影响消费者购买商品的决定。另一方面，现代摄影受艺术思潮和创意理念的影响，在表现角度、用光、后期处理等手法方面，都明显区别于传统的摄影，使摄影达到一个更高的境界，摄影本身的艺术表现性也强烈吸引和感染着观者。（图6.6.4）

图6.6.4　招贴广告（五十四）

（五）创意图形的艺术表现

创意图形在招贴设计中越来越起到重要作用。从早期的招贴设计开始，图形创意设计就一直被招贴设计师所喜爱。图形所蕴含的丰富的语义性、哲理性、寓意性和强烈的视觉直观性形成了图形招贴设计独特的传达形式。图形创意有丰富的创意方法和多样的表现形式，有表现主题深刻的、有表现形式自然的、有表现形式优美的、有图形夸张的、有图形写实的，在创意图形的艺术表现上有无限的创意想象。图形创意广告风格成为设计师非常喜爱的表达形式。德国图形设计师冈特·兰堡为慕尼黑费舍尔出版社设计了系列招贴作品，表现了兰堡对图形创意语言的理解和对其寓意的运用。（图6.6.5）

图6.6.5　招贴（冈特·兰堡）（三）

PART 7

第7章

报纸广告设计

第一节 报纸广告概述

报纸广告（Newspaper Advertising）是指刊登在报纸上的广告。它的特点是发行频率高、发行量大、信息传递快，因此报纸广告可及时广泛地发布广告信息。报纸是传统的大众媒体。媒体一词源自于英文中的“Media”。从传播学角度讲，媒体通常是指传达、增大、延长人类信息的物质形式。1650年，英国《新闻周刊》刊登了一则寻马广告，被认为是世界上第一则报纸广告。此后不久，各种商品广告纷纷见于报端。1666年，英国的《伦敦报》正式创办广告专栏。广告成为了报纸的组成部分和经济收入的重要来源。

电视、广播、报纸、杂志通常被称为四大媒体。虽然现代社会科技飞速发展，网络已经普及，各种媒体信息无所不在，但报纸还是具有其他媒体所不可替代的价值。报纸广告也是一般大众获取商品信息不可或缺的途径，尤其是在唤起潜在消费者的购买动机及发挥公共关系的传播作用时，作为大众传媒的报纸成为最适当的媒体选择。

由于人们长期形成的习惯认识，报纸的社会公信程度比较高，报纸广告也获得较高的信赖度。与其他媒体相比较，报纸具有很高的媒体公信力。企业在选择媒体发布广告时，报纸仍然是重要的媒体选择。诚实广告、依法广告是企业必须遵守的原则。广告设计师在寻找创意的同时也越来越重视广告法规和社会道德，在设计上拒绝虚假广告。报纸在大众心目中具有的信赖度是报纸媒体广告能够继续发展的最大原动力。

第二节 报纸广告特征

随着现代科技的进步和商品经济的发展，广告媒体的种类越来越多。在广告信息传播中，不同的广告媒体具有不同的特点，且在传播范围、时间、接受的对象以及所能运用的表现形式上都是不同的。

一、报纸媒介的特点

（1）报纸的特点是信息容量大，栏目多，篇幅内容有长有短。

（2）报纸本身具有全国性报纸、区域性报纸和地方性报纸之分。

（3）报纸按其内容分类有综合性报纸和专业性报纸之分。

（4）报纸按其出版周期不同，可分为日报、晚报、周报和旬报等。

二、报纸广告形式

报纸广告大致分为三类：分类广告、展示广告和增刊广告。

（一）分类广告

分类广告通常包含所有形式的商业信息。这些信息根据读者的兴趣被分成若干类，例如地产信息、汽车信息等。

（二）展示广告

这是报纸广告最重要的一种形式。除了报纸新闻编辑区外，都可以根据广告发布的需要，以任何大小的篇幅出现。展示广告可以进一步分为两类：地方性的广告和全国性的广告。

（三）增刊广告

全国性和地方性的广告都可以在增刊上刊登。所谓增刊广告，如在报纸的周日版出现的广告，或者是单独刊登在插页上的彩色广告。

三、报纸广告的特点

（一）广泛性

报纸种类多、发行广、读者多。报纸上可刊登各类广告，既可以刊登品牌广告，也可刊登商品广告，还有各类服务信息广告等。形式上可用黑白广告，也可用套红广告和彩色印刷广告等。内容形式非常丰富。

（二）快速性

报纸的印刷和销售速度非常快。报纸有订阅和零售。第一天的设计稿第二天就能见报。晚报可见当日信息。报刊广告适合于时间性强的新产品广告和快讯广告，如会展广告、庆典广告、新品广告、旅游广告、节日促销广告等。

（三）连续性

报纸每日发行，具有很强的连续性。报纸广告利用报纸的重复性特点加深了广告传播的影响力，吸引读者的关注度。

（1）在一段时间内重复刊登报纸广告，在消费者的头脑中不断加深印象。

（2）广告版式相同，但每次广告的侧重点有所不同，使消费者获取信息更全面、更深入，更加吸引消费者关注。

（3）运用系列广告方法，不断加深消费者印象。

（四）经济性

相对于其他媒体，报纸广告费用比较经济。由于报纸本身传播的新闻信息、文化信息、生活信息、市场信息等具有大量读者群，也使广告具有了大量读者，广告信息以经济、低廉的形式得以广泛传播。读者既可获得广告信息，又从中得到广告设计传达的美感。

（五）针对性

报纸广告根据不同的报纸类型和不同的报纸内容，在类别上、区域上、时间上有选择地进行广告信息传播。根据广告内容和类别需求可选择无差别传播或是针对性传播。对于专业性强的信息，应选择相关专业性的报纸，以期达到最佳的广告效果。报纸广告设计要结合报纸的具体版面，巧妙地和报纸内容结合在一起。

（六）突出性

选择报纸头版的“报眼”，刊登在读者关心的栏目边，都会引起读者的关注。在设计上要突出品牌或商品形象，强化大的标题，合理运用色彩对比、文字与图形的对比等。报纸广告既注重商品性、品牌性，也要注重社会性价值。

第三节 报纸广告设计内容

一、报纸广告设计要素

报纸广告设计是整体广告设计的一部分。报纸广告设计要素可分为文字内容和图形内容两大部分。文字内容部分包括标题、副标题、广告语、商品介绍等内容；视觉图形语言部分包括商品形象、象征图形、图表、插图、商标、色彩、字体等。（图 7.3.1）

图 7.3.1　报纸广告（一）

二、报纸广告的标题设计

广告的标题很重要，是广告主题的浓缩，也称为“广告语”。独具创意的广告语，让人记忆深刻，是商品核心价值的体现。它是广告文案的重要部分，有时是广告创意的核心。标题往往置于重要位置，如版面的视觉中心位置。(图7.3.2)

图7.3.2　报纸广告（二）

标题既具有图形的视觉效果，又传达广告信息的核心内容。因此，在设计上既要注意标题形式的选择，又要注意视觉的可读性。标题的功能是吸引读者的注意，并诱导读者去阅读广告正文。标题的字体风格要和广告的整体风格相一致。

在大多数报刊广告中，标题至少比正文多五倍的阅读效率，广告界流行一种说法：“如果标题未能畅所欲言，就等于浪费了80%的广告费”。可见标题在广告中的重要地位。根据商品广告内容，除主标题外，还有副标题。当主标题传达了一种引人入胜的思想时，或许还需要在下面紧接着用一个或数个副标题来对这一思想加以发挥。文字语言的表达应以简练为主，重要的是主标题、副标题要与图形、插图、文字等形成整体设计。

广告标题创作应遵循十条原则：

（1）标题是品牌或商品核心价值的浓缩。

（2）标题揭示广告主题。

（3）标题开门见山、言简意赅、给人丰富的联想。

（4）语言生动活泼，创意独到。

（5）标题不宜过长，一般在12个字以内。

（6）用贴切的语言，针对目标消费者，回答消费者的关切。

（7）要把标题与图片视为一个整体，要利用图片去配合标题。

（8）为人们提供新信息的标题，往往会有多出20%的人记住它。

（9）最具吸引力的标题是承诺给读者带来什么利益。

（10）标题的写作要以引起读者注意、产生兴趣、留下良好印象为出发点。

三、报纸广告的正文设计

报纸广告正文又称为广告文案，在报纸广告中属于重要的构成要素。广告文案以能满足消费者对商品信息的了解和好奇心为出发点，最终达到消费者购买广告商

图7.3.3　报纸广告（三）

品的目的。精彩的广告文案是引起消费者的兴趣、促使消费者购买商品的重要原因。

报纸广告文案根据其体裁、风格、手法可分成若干类别，如解释性、幽默性、描述性、证书性、对话性、叙述性、说明性等广告文案形式。广告文案要与广告创意相一致，根据商品的内容、特点，广告文案撰写要更有趣、更动人、更令人信服。报纸广告文案文字语言的艺术处理要力求准确、生动和精炼。

报纸广告的文案写作一般可分为重理性诉求的文案和重感情诉求的文案。理性诉求的文案是用“晓之以理”的方法，以科学、理性、事实说服消费者；感情诉求的文案是“动之以情”，以情感、感性吸引消费者对品牌和商品产生心理上的共鸣。（图 7.3.3）

四、报纸广告的插图设计

报纸广告的插图在视觉传达上比文案占据更多的位置，它在促销商品上与文案起到同等重要的作用。在表现不同品牌和商品的广告上，以插图为主的广告和以文案为主的广告各有侧重。在某些品牌和商品广告传播中，插图甚至比文案更重要。

在报纸广告的画面处理上，依据广告创意和传达商品信息的不同，需要采用不同的表现手法，包括写实的方法（摄影、图形、图像等）、象征法、夸张法、寓意法、比喻法、卡通方法、装饰方法等，还包括运用图表、图例、图示等视觉传达方法。

插图在广告中的主要功能是传达品牌和商品的形象信息，吸引和诱导消费者注意，而吸引消费者的注意是设计的关键。最好的报纸广告插图应简洁明了、视觉清晰、传达明确、便于受众获取信息。广告插图视觉表达力和信息传达力要做到恰到好处，好的广告插图往往让消费者过目不忘，诱导和吸引消费者注意。广告插图应该将广告内容与消费者的兴趣联系起来，引发消费者的兴趣，从了解商品开始到进一步喜欢商品。报纸广告的画面要有足够的信息，满足消费者进一步了解有关商品的细节内容的需求，仔细地说明、比较并讲出商品的利益点，会使消费者产生购买商品的欲望。（图 7.3.4）

图 7.3.4　报纸广告（四）

五、报纸广告的色彩设计

色彩在报纸广告设计中是最具吸引人注意力的要素。通过色彩传达设计可以真实地传达商品的形象、质量、风格等，从而最能影响消费者的心理。不同的品牌、不同的商品的诉求对象、色彩传达也是不同的。色彩设计要与品牌相一致，消费者对商品才能有深刻的印象，达到最佳的广告效益。

运用色彩还要考虑目标消费者的年龄、地域、城乡、民族、教育、风俗、宗教、环境、性别等对色彩的接受和感受度的影响。因此，色彩运用关键在于是否符合品牌特征、是否符合广告主题定位、色彩运用是否准确恰当。（图7.3.5）

报纸广告色彩要注意以下几点：

（1）吸引人们对广告的注意力。

（2）完全准确地表达广告创意。

（3）强调品牌、产品或内容的特点。

（4）传达广告表现的魅力、风格和一致性。

（5）使广告在第一眼就让人过目不忘。

（6）反映消费者心理和情感因素，激发购买欲望。

（7）在人们记忆里留下深刻的视觉印象。

图7.3.5　报纸广告（五）

第四节 报纸广告版面的编排设计

一、报纸广告的版面

报纸广告的版面，是限定报纸广告编排设计的区域。报纸广告的版面有几种不同的版式：整版、半版、通栏（横式、竖式）、中缝、刊头、分栏等。报纸广告的版面不仅是报纸广告设计形式传达所在，也体现了企业的形象、理念、品牌、商品形象等。因为，报纸广告版面的大小、位置、面积对于广告主题传达是有一定影响的。从整体上讲，报纸广告也是企业整体广告策划和企业CIS战略中的一个部分，在企业形象、品牌、产品视觉传达上必须是统一的，表现设计风格上是一致的，这样更便于消费者辨识和记忆。所以，在设计报纸广告时，特别是设计系列广告时，首先要了解企业形象视觉识别系统的基本要素及其组合规范，制订出富有延伸性的、系统化的版面编排模式，便于在不同报纸媒介、不同版面的应用，所以要根据各种报纸的标准版面，安排具体的标题、图片及文案，增强广告效果。

二、报纸广告的栏式

（一）报纸广告的版面

报纸通常采用的纸张开型有大、小两种，俗称大报、小报。大报的整版有效印刷面积为35厘米 ×47厘米，小报的整版有效印刷面积为23.5厘米 ×35厘米。一张报纸的整张翻开通常为左右两个整版加中间一条狭长的中缝。

（二）报纸广告的分栏

报纸版面根据编排设计和版面美观的需要，通常制定几种标准的广告分栏尺寸，可以根据广告媒体方案，合理有效地选择广告栏式。大报和小报的分栏尺寸不同，表7.4.1以《日报》和《晚报》的尺寸为例。

表7.4.1　大报和小报的尺寸

单位：厘米

广告分栏	尺寸（宽 × 高）	
	大报《日报》	小报《晚报》
整版	35 × 49	23.5 × 33.5
半版	35 × 24.5	23.5 × 17
双通栏	35 × 16	23.5 × 13.5
1.5通栏	35 × 12	23.5 × 10
通栏（横式）	35 × 8	23.5 × 6.6
通栏（竖式）	17 × 16	11.5 × 13.5
1/2通栏	17 × 8	11.5 × 6.6
通栏	8.5 × 8	5.5 × 6.6
报眼（刊头）	15 × 10	10 × 6.6

报眼广告。报眼，即横排版报纸报头一侧的版面。版面面积虽然不大，但位置十分显著、重要，引人注目。

半通栏广告。半通栏广告一般分为大小两类，这类广告版面较小，而且众多广告排列在一起，互相干扰，广告效果容易互相削弱。

单通栏广告。是广告中最常见的一种版面，符合人们的阅读视觉习惯。

双通栏广告。在版面面积上，它是单通栏广告的2倍。凡适于报纸广告的结构类型、表现形式和设计风格都可以在这里运用。

半版广告。占据版面面积一半的广告。半版与整版和跨版广告，被称之为大版面广告。

整版广告。是我国单版广告中最大的版面，给人以视野开阔、气势恢宏的感觉。

跨版广告。即一个广告刊登在两个或两个以上的报纸版面上。一般有整版跨版、半版跨版、1/4版跨版等几种形式。跨版广告很能体现企业的经济实力。

三、报纸广告版式设计

报纸广告版式设计是通过版面将文字、图像、图形、图表、插图、色彩等视觉元素进行有机地排列组合，形成强烈的视觉感染力与冲击力，通过合理的版式设计做到内容与形式的完美统一。

报纸广告版式设计必须服从于版式结构，从整体版式布局构图设计。版式结构包含的基本条件是正文、标题、图文关系、合理的文字量等。（图7.4.1）

（一）报纸广告版式设计原则

按目的性与信息性相统一、艺术性与独创性相统一原则。

按趣味性与装饰性相统一、协调性与整体性相统一原则。

（二）报纸广告版式设计的形式原理和基础

按对比与权衡、对比与调和、对称与均衡、密集与简洁、节奏与韵律、比例与适度、秩序与变异、虚实与留白、变化与统一等原理设计广告。

图7.4.1　报纸广告（六）

（三）报纸广告版式设计形式

（1）平行式版式设计形式；（2）竖线式版式设计形式；（3）中心式版式设计形式；（4）散点式版式设计形式；（5）绕图式版式设计形式；（6）弧线与曲线版式设计形式；（7）斜线式版式设计形式；（8）网格式版式设计形式；（9）自由与动感式版式设计形式；（10）强调以图为主的版式设计形式；（11）强调以文为主的版式设计形式；（12）图文并重的版式设计形式。

（四）版式编排设计要点

（1）版式安排要依据内容要求进行，图文编排要有主次。

（2）版式设计视觉信息流程要符合阅读习惯。

（3）品牌和产品是主要信息，广告语是文案创意核心。

（4）选择字体不宜过多，字型选择要与内容相符。

（5）大标题要突出，标题内文要有变化。

（6）编排风格要依据整体广告策略而定。（图7.4.2至图7.4.10）

图7.4.2　报纸广告（七）

图7.4.3　报纸广告（八）

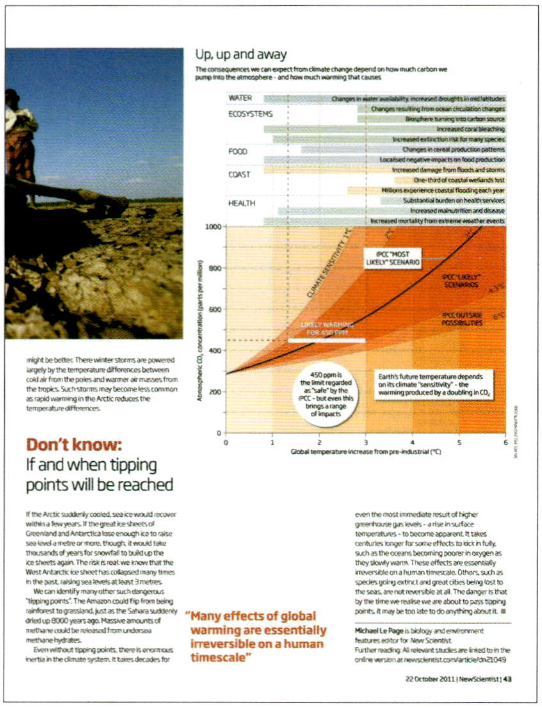

图7.4.4　报纸广告（九）

图7.4.5　报纸广告（十）

图7.4.6　报纸广告（十一）

图7.4.7　报纸广告(十二)

图7.4.8　报纸广告(十三)

图7.4.9　报纸广告（十四）

（五）报纸广告——系列广告

系列广告具有的特点：

（1）系列广告具有相同的核心创意。

（2）系列广告具有相关或相似的视觉表现。

（3）系列广告具有相关或相近的文案表现。

（4）系列广告具有画面的一致性、风格的一致性、尺寸的一致性、构图的一致性。

（5）系列广告相同品牌不同品类的图像、色彩会有系列性改变、或不同或近似性的变化。

（6）系列广告编排不是死板的对称，而是可调整的和谐统一。

（7）系列广告的标题、内文、句式、语调、节奏、字体等要有一致性。

（8）系列广告延续的广告概念表达方式，可用在其他媒体上进行广告表现。

（9）系列广告可以执行不同旧元素的新组合。

（10）系列广告是一种可以在组合元素上进行替换的创意框架。

（11）系列广告是一种即使替换了设计者，也可以正确延续广告创意的广告。（图7.4.11至图7.4.18）

报纸广告常用的设计软件是Photoshop、InDesign、Illustrator、Freehand、Corel Draw等。

Photoshop：包括图像处理、编辑、通道、图层、路径综合运用、图像色彩的校正、多种特效滤镜使用、特效字的制作、图像输出与优化等设计功能。

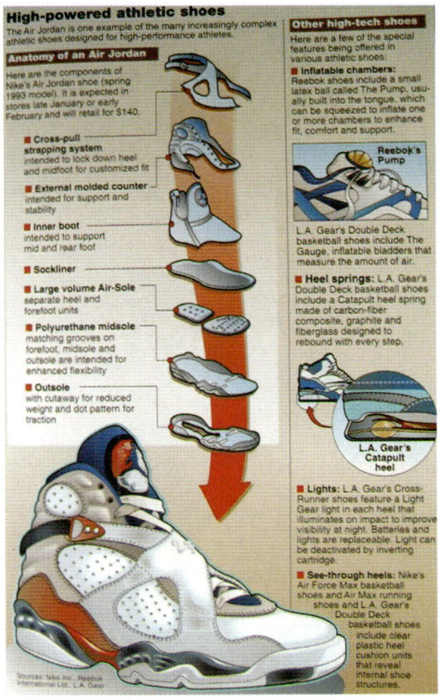

图7.4.10　报纸广告（十五）

图7.4.11　系列广告（一）

图7.4.12　系列广告（二）

图7.4.13　系列广告（三）

图7.4.14　系列广告（四）

图7.4.15　系列广告（五）

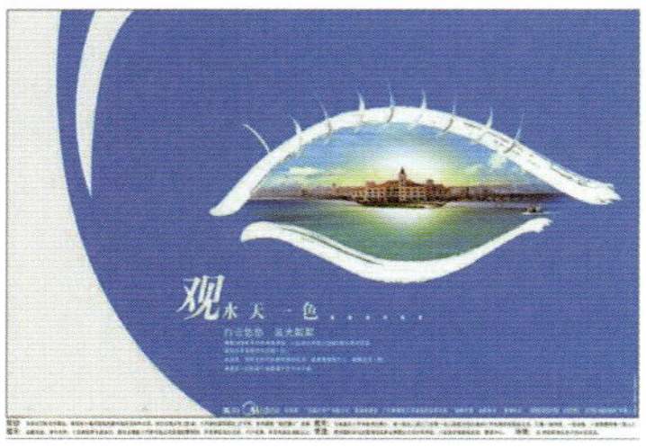

图7.4.16　系列广告（六）

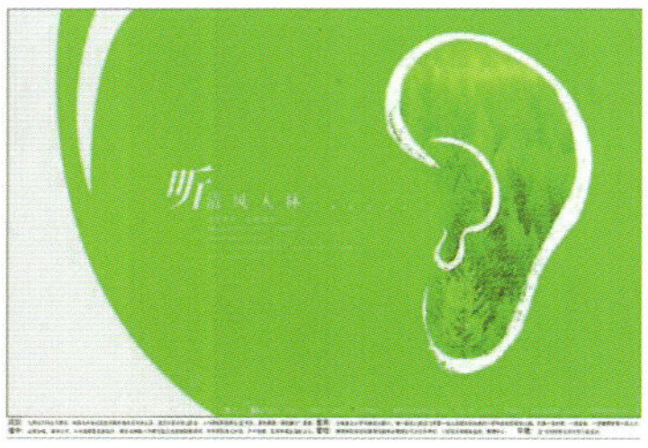

图7.4.17　系列广告（七）

图7.4.18　系列广告（八）

In Design：专业排版领域的设计软件，专业出版方案的新平台。提供自定义杂志、广告设计和报纸出版方案等。可支持插件功能。

Illustrator：矢量图形绘制、包装、宣传页的制作，更加方便地进行LOGO及CI设计。

Freehand：不论是个人作品设计、公司徽标还是海报制作，软件都可以轻松完成，应用于广告、印刷等行业。

Corel Draw：将全方面的设计及网页功能融合到现有的设计方案中，可以制作矢量的插图、图像，出色地设计公司标志、简报、彩页、手册、产品包装、标识、网页等。

知识扩展

奥美平面广告执行技巧

技术不是万能的，没有技术是万万不能的。广告的专业技巧包括：（1）图片；（2）标题；（3）编排设计；（4）字体艺术；（5）文案内容。

图片与标题——重要并且密不可分，每五个注意到你的文案的人当中，有四个人只看到你的图片。标题与图片必须互相配合、相辅相成，组合在一起的标题与图片应该能够使消费者看出你所要卖的产品是什么。

其他元素——次重要但不是不重要。如果标题和图片是牢不可分的，设计中其他的因素也是同样道理。

你不能把编排设计跟字体分别考虑，或者是把它们跟图片分开来考虑。编排的艺术就是把这些微妙关系处理得恰到好处，每个组成部分都需要相关的专业技巧。

平面广告技巧一：图片

检查图片的几项问题：图片的大小如何？ 可否包含引人入胜的故事？可否让图片具有新闻性？是否可以示范产品？产品是否成为图片的主角？是否具有出人意料的视觉效果？照片还是绘画？

图片——图片的大小？通常一张篇幅大而醒目的图片，比起一堆零星散布的小图片，能吸引更多的读者。但是图片除了大以外，必须要引人入胜，否则一幅放大的图片只会变得比小图片更糟糕。

图片——可否包含引人入胜的故事？ 使用富有故事性的照片曾经使奥美屡屡获胜。读者一瞥到这样的图片时便会想“这是怎么回事？”然后就会继续读下去。鲁哈瑞，是第一批开始研究文案的调查人员之一，他将这种神奇的因素称为“故事性诉求”（“Story Appeal”）。你在照片上注入越多的故事性诉求，就有越多的人会注意你的广告。

图片——可否让图片具有新闻性？新闻性的图片不仅可以增加读者的阅读兴趣，而且通常会部分消除人们对文案的抵触情绪。新闻性的图片关键在于是不是新闻。新闻性图片与故事性图片的差别在于前者必须是真实的。

图片——是否可以示范产品？ 表现如何使用产品的有力方法——就是让读者看着摆在眼前的广告，当场亲自动手示范产品用法。“视觉化对比”也是示范产品利益点最有力的方法之一。采用并排对比的照片可显示出使用前及使用后或者是有产品跟没产品的差别。

图片——产品是否成为图片的主角？ 把产品塑造成文案中的主角通常是很值得一试的做法，因为产品永远是广告的核心所在。当然产品本身应该是优质品牌。但是这种做法如果缺乏好的创意和好的摄影师，可能就会把广告变得非常无趣。

图片——是否具有出人意料的视觉效果？ 天天看见的东西通常会让人失去新鲜感觉，应该考虑让那些图片变得与众不同。独特的角度、从未见过的组合方式、特殊的比例等都可以让一些常见的东西引人入胜。

图片——照片还是绘画？你关注图片用的心力至少应该与你关注标题的一样。 很多创意小组经常会为了一个文案考虑四五十个标题，而对于插图却只有几个想法而已。这种作法很少能够引导出杰出的图片——或者杰出的广告。

平面广告技巧二：标题

标题——是最重要的文案要素。标题至今仍然是重要的文案要素。平均而言，四个看广告的人中有三个人会看标题，却只有一个人阅读内文。

检查标题的几项问题：(1) 标题是否承诺了一项利益点？标题是否包含了具有新闻价值的消息？标题是否谈到价格？标题是否提到产品所能解决的问题，或是产品所能满足的需求？ 标题是否提出与目标对象相关的惊人事实？ 标题是否对目标对象示意？ (2) 标题是否包含证言？ 标题是否引用了他人所说的精彩词句？标题是否与图片共同发挥作用？如果答案是"不确定"的话，标题就要加强了。

标题——是否承诺了一项利益点。许多有力的标题都传达了利益点——透过许多文字来描述。如果系列广告活动是建立在一个强有力的利益承诺点上，就把它放入你的标题里面。

标题——是否包含了具有新闻价值的消息？消费者总是在寻找一些新闻的事物——如果具有新闻价值的消息，把新闻放进你的标题里。

标题——是否谈到价格？在现今复杂的市场中，并不是经常有机会可以让你在广告里谈到价格的。但是当你有这样的机会时，为什么不把价格放进你的标题里？当你的标题包含了价格的时候，你便回答了消费者心中所提出的第一问题——多少钱？

标题——是否提到产品所能解决的问题？许多最成功的直接文案，标题都是以直截了当的手法来表现，以引发读者对解决方法的好奇心而继续读下去。

标题——是否提出与对象相关的惊人事实？人们对令他们惊讶以及与自身相关的事实大感兴趣，而最有力的事实就是那些能够支持利益点承诺的事实。

标题——是否对目标对象示意？ "嗨，早上好！"是这类标题的典范。以标题针对目标对象示意，是抓住消费者注意力的必胜秘诀。

另一个抓住目标对象注意力的方法则是把标题地域化——包含城市名。地域化标题等于告诉当地的读者，广告中的信息与他们息息相关。

标题——是否包含品牌名？把品牌名放进标题里，是使消费者确认品牌，是容易且最确实的方法。

标题包含品牌名的广告比起那些没有品牌的较易被人们记住。大卫·奥格威说他从来没有写过标题不含品牌的广告。许多奥美最成功的文案活动都不断印证他的说法。

标题——是否包含证言？证言式文案可以获得非常高的阅读率。以证言作标题是值得一试的作法。最有效的证言广告，是由产品的一般使用者——人们能认同的使用者——现身说法所做的广告。用名人推荐会转移人们对产品的注意力，同时也缺乏可信度——除非你选择名人不仅基于他的名气，还考虑他相关的专业技能。

标题——是否引用了他人所说的精彩词句？我们发现运用这个简单的技巧，效果非常好。

平面广告技巧三：编排设计

编排设计——容易阅读，编排设计必须能够反映广告的策略，并且必须使受众接受你的信息。薛麦尔（Miles Shepard）说过："编排设计必须能够便利视觉流通，一定要注意，绝不能有任何地方使读者感到困惑。"编排设计应该要遵循自然的阅读顺序。

编排设计——标题的位置：上面还是下面？研究发现，平均而言，标题位于插图下方的广告比起标题位于插图上方的广告要多出10%的读者。把标题放在上方的最恰当时机就是当标题是整个广告最重要的因素，并且要读者一眼就瞧见标题的时候。但此时就不宜使用太大的图片，以免干扰标题，不妨使你的图片附属于标题下。

编排设计——报纸杂志与广告的编排谁做得更好？一般刊物的编辑内容主要目的就是为了要引发读者阅读的兴趣，而广告的功能是要向读者推销东西，所以设计图必须比刊物的编排设计发挥更大的功效。但是广告的编排设计真的发挥了更大的功效吗？它们是否更吸引人或更容易阅读？

编排设计——报刊编排有什么共同特点？它们看起来具有信息性。它们看起来简单，易于阅读——没有一些妨碍阅读的因素。它们遵循自然的阅读顺序。标题不过分夸张。内文看起来清楚易读并且使人想看下去。不会把说明文字放在图片上头，也不会用斜排字或反白字。

编排设计——广告的编排有什么共同特点？它们纷乱复杂？它们看起来不具任何新闻性或信息性？它们在标题及文案上要耍花样？它们缺乏权威性？换句话说，它们太过于"广告化"。人们一看到这样的编排就会这么想："这只不过是个广告而已。"我们应该避免过于文案化的编排设计，因为它们有太明显的推销意图，会使读者产生防范的心理。

编排设计——文字的排列。横排的长度最好不要超过25字。横排总是比竖排容易阅读。行距既不宜窄于文字的四分之一，也不宜宽于文字的三倍。

平面广告技巧四：字体艺术

字体艺术——使得广告易于阅读，许多广告的字体艺术设计完全忽略了读者。虽然我们一再强调字体艺术对阅读率的重要性，但这并不表示我们否定其美学的功能。凡是优秀的艺术指导都知道，无论他们想创造出什么样的形象，字体艺术都会有帮助。你用在摩托车文案以及香水广告的字体就不应一样。

字体艺术——与产品个性、广告目的有关。黑体较适合男性产品，如重大新闻。圆头体较适合女性产品，如生活话题。宋体比较适合严肃场合……

字体艺术——奇形怪状的字体会降低阅读率。最简单易读的字体是最为人们所熟悉的字体。别忘了，眼睛是一种遵循习惯的感官。

字体艺术——左右齐头或者不齐头。我们将文案归纳为三种形式——左右齐头、左齐头、右齐头。采用那种格式取决于编排需求，但是右齐头的方式阅读起来最累。

字体技术——反白字。没有任何的书籍、报纸、商业报告或者私人信件、杂志会以反白字为主，然而却有一些艺术指导经常在广告当中使用反白字。除非大家商量好了一起用反白字，那么也许可以很快改变习惯，我们现在的报纸反白字印刷效果很差。

字体艺术——大有大的问题，小有小的麻烦。另一种会降低阅读率的常见技巧就是标题使用超大或超小的字体。除非你有特别的需要。

字体艺术——大小与距离有关。在眼睛离读物约半臂长度的情形下，24级（相当于中文28级）的标题比起72级（相当于中文80级）的标题要容易阅读。这也就是为什么把文案放在布告栏上、地板上，或是做成幻灯片来评断其效果是错误的。审核一张广告前，应该拿在手上或者是贴在出版物版面上看。报纸上7磅字以下的字请准备接受批评。

平面广告技巧五：文案内容

文案内容——为什么文案内容很重要？十个人当中只有一个人会阅读一般广告的内文。但有十分之一很可能就是一百万人。对于一百万个目标对象，你的标题和图片必须有足够的吸引力，你的文案一定要能抓住他们。

文案内容——好的文案，首先让自己感动！然后开始下笔。快速而努力地写，就好像你要赶搭飞机那样拼命地写，就好像你必须在五分钟之内把所有的想法写下来。可能刚开始写的几段听起来有些不可思议，别在意，继续写。也许在某处、以某种方法，你将能写出真正具有销售力的文案。

以下是我们发现的特别有效的方法：文案内容——开头，重复并阐释标题中的意念。

这是吸引读者往下看文案的一个方法，所以要尽可能地利用其价值，尤其当你掌握了新闻性时，这更是一个起头的好方法。报纸是理所当然最常运用这种技巧的地方。

文案内容——应该放弃的陈腔烂调，“呕心沥血的技术”“与众不同”“无与伦比”“独特的丰富口味”，它们令人感到无聊，而且也不能使你的产品跟其他使用同样无聊语言的竞争者有所区别。

文案内容——避免形式主义，不应该太注意文案本身的形式。文案的个性应该源于产品个性，而非人造的文章技巧。

文案内容——不要害怕长文案，在我们的经验中，当你有很复杂的信息要传达时，长文案有助于销售——如果做得好的话。

文案内容——什么时候可以使用长文案?

（1）当你有很多话的时候。

（2）须经考虑的购买行为——产品要花很多钱。

（3）产品独特。

（4）对相同的产品而言，如果你能够“抢先传达事实”，告诉读者有关这类产品他们以前都不知道的事实，例如啤酒。即使读者不看长文案，本身仍能暗示读者我们有一些重要的事情要说。

文案内容——长文案需要事实和重点。长文案绝对不能过于松散，要抓住重点。 如果一个长文案不能够马上吸引读者，他们会以为其余的文案也一样的无聊——接着就翻页。有一个不错的练习方法：在起稿时先不要考虑长度——写好了之后则毫不留情地删减。我们希望大家由此继续下去——继续研究技术，运用技术以发挥大创意，并且致力于创造杰出的平面广告。

文案内容——开头：以故事为开始。杂志经常运用这种技巧，在任何一种文案当中——即使是经销商广告——你都可以运用这种技巧。读者看故事看到一半，就不太容易停下来，同时以说故事的手法来表现，可以使你的文案具有真实性。这样的文案就好像是在告诉读者：“这是真实发生的故事”。

文案内容——开头：以简单事实陈述开始。找出一个能使读者惊讶，留下深刻印象的事实——并向读者承诺一项利益。

文案内容——开头：以问题作为开始。有问题就需要答案——这种方式很快地便能使读者有参与感。

文案内容——面对面地谈话。然而无论你怎么开始，要记住——你的读者是一个人，而不是广大的听众群。以私人对谈的方式来写，就好像你正在与某人交谈似的。

文案内容——最古老的规则。好的撰文人员会尽可能地经常使用“你”“你们”以及“你的”“你们的”这些字眼，因为读者只对自己有兴趣。这种方法使一对一的对谈式文案具有极高的说服力。据调查：用“我”字最多的是诗人与疯子。

文案内容——多使用你的品牌名。

文案内容——图片说明。平均而言，看图片说明的人为看内文的四倍。读者会自行寻找图片说明。把每个图片说明能够做成像是产品的迷你广告是很划得来的做法。

PART 8

第 8 章

POP 广告设计

POP广告是一种既传统而又独具特色的综合性广告形式。POP广告以其独特的设计构思，强烈的色彩，美丽的图案，突出的造型，真实、幽默、夸张的风格，准确而生动的广告语言，生动活泼的表现形式，创造出强烈的销售气氛，有力地吸引消费者注意，指导和促成消费者购买商品。

与其他广告媒体相比较，消费者对POP广告更有浓厚的兴趣和亲切感，更喜爱POP广告这种形式独特、创意新颖的促销形式。POP广告简洁、明确的告知方式，亲切和直白的说明表达方式，不受展示时间和空间的限制，和消费者默默地交流的方式，都受到消费者的喜爱。POP广告也是品牌整体宣传策略的一部分，POP广告更加突出产品特点、性能、使用方法，可以直接演示产品的功效。POP广告表现形式灵活多样，越来越成为商家选择并用作促销广告的形式。

第一节 POP广告概述

一、什么是POP广告

POP广告（Point of Purchase Advertising）又称销售点广告，意为“在购买场所中能促进销售的广告”或“购买点的广告”。广义上讲。POP广告即商店的牌匾，店面的装潢和橱窗，店外悬挂的充气广告、条幅，商店内部的装饰、陈设、招贴广告、服务指示，店内发放的广告刊物，进行的广告表演，以及广播、录像、电子广告牌广告等。狭义的POP广告概念，仅指在购买场所和零售店内部设置的展销专柜，以及在商品周围悬挂、摆放与陈设的可以促进商品销售的广告媒体，即在超级市场、商业空间、购买场所、专卖店、零售商店周围、内部以及在商品陈设的地方所设置的广告物，都属于POP广告。（图8.1.1至图8.1.3）

图8.1.1　店面POP化（一）

图8.1.2　店面POP化（二）

POP广告起源于美国的超级市场和自助商店里的店头广告。20世纪30年代以后，POP

广告在超级市场、连锁店等自助式商店频繁出现，逐渐为商界所重视。60年代以后，超级市场这种自助式销售方式由美国逐渐扩展到世界各地，所以POP广告也随之走向世界各地。

图8.1.3　夸张的POP化售卖亭

在现代商业购买环境中，POP广告是一种极为有效的促销形式，成为商家不可替代的“现场推销员”。POP广告以多种设计表现形式将各种商品信息及传播媒体，集成、浓缩在销售现场中。POP广告从简单的平面海报的形式，逐渐发展为多方位的立体POP形式。POP广告的表现形式、设计方法、制作工艺、运用材料非常丰富。

二、POP广告的起源与发展

（一）中国传统的POP广告

中国广告的萌芽出现在3000多年前。在我国古代，酒店外面挂的酒葫芦、酒旗，饭店外面挂的幌子，客栈外面悬挂的幡帜，或者药店门口挂的药葫芦、膏药或仁丹等，都可谓是POP广告的鼻祖。其主要形式是实物广告、声响广告、招幌广告、灯笼广告、悬物广告、悬帜广告、招牌广告、印刷广告、插图广告、年画广告等。古时店铺用来招引顾客的布招，最早特指酒店、茶肆的招幌，即“酒帘”，也叫“酒旗”。这些都是早期POP广告的雏形。即使在今天，这些古老的广告形式仍然使用于我们的商业活动中，不仅作为商品的导买广告，还具有装饰美化店面，展示品牌、商品的功能。

（二）西方传统的POP广告

西方国家在中世纪初期也形成了商品展示广告的雏形。19世纪中期，欧洲工业革命的兴起促进了商品经济的发展，商品的包装和促销广告形式变得愈来愈重要，很多店铺树立起“招牌”“幌子”招揽顾客，还有的店铺利用橱窗陈列商品吸引顾客注意，这些也是西方国家传统的POP广告形式。（图8.1.4至图8.1.8）

图8.1.4　西方传统的POP广告（一）

图8.1.5　西方传统的POP广告（二）

图8.1.6　西方传统的POP广告（三）图8.1.7　西方传统的POP广告（四）图8.1.8　西方传统的POP广告（五）

（三）现代POP设计风格及发展趋势

第二次世界大战以后，欧洲和美国都出现过经济大萧条，使得整个购买力发生了巨大的改变，经济低迷，收入减少，家庭都忙于工作，无暇去商场购物消费。商家为了迎合和方便消费者购物，兴建了大型购物场所，这也就是“超级市场”的兴起。为了配合超级市场的广告宣传，现代POP广告应运而生，其正是适应了这种新的售卖形势，从而成为销售广告策略中一种强有力的广告形式并迅速发展起来。

现代POP广告采取各种各样的表现方法，直接面对顾客。现代POP广告的表现方式为平面、立体、动态、声光电运用、顾客参与体验等，并有形式丰富多样、制作精良等诸多优点。与影视广告、报纸杂志广告、户外广告等相比，具有更多的灵活性和多样性。

现代POP广告发展的新趋势有以下几种：

（1）系列POP广告：家族式的系列化促销广告，采用多种媒体手段同时展开，融陈列展示与参与活动、动态与静态、局部与整体为一体，较单一的柜台或吊挂POP广告，更能吸引顾客，扩大影响。（图8.1.9）

（2）与商品结合式的POP广告：陈列于商品周围，与商品融为一体的小型促销广告，可使顾客直接获取有关商品的特性、价格和使用知识等信息。在今日商战日趋激烈的情况下，这是一种较好的促销形式，日益为人们所重视。（图8.1.10）

图8.1.9　系列POP广告

图8.1.10　与商品结合式的POP广告

（3）商品包装的POP广告：商品为了在超级市场售卖，发展了多种适合的包装形式，既方便消费者购买，又便于向消费者传达商品信息，如商品的成分、原料、使用方法等，并把上述信息以POP化包装形式体现出来。（图8.1.11至图8.1.12）

（4）顾客参与的POP广告：让顾客参加演示、操作活动等，以其趣味性和亲切宜人的和谐气氛刺激顾客的购买欲望。（图8.1.13）

（5）事件POP广告：利用“事件”的趣味性、话题性来提高顾客的主动参与兴趣，进而招揽消费者，增强广告商品的吸引力。（图8.1.14）

图8.1.11　商品包装的POP广告（一）

图8.1.12　商品包装的POP广告（二）

图8.1.13　顾客参与的POP广告

图8.1.14　事件POP广告

第二节 POP广告的功能和特点

一、POP广告的功能

大部分的POP广告，都属于新产品的告知广告。当新产品出售之时，配合其他大众宣传媒体，在销售场所使用POP广告进行促销活动，利用POP广告强烈的色彩、美丽的图案、突出的造型、幽默的动作、准确而生动的广告语言，创造出强烈的销售气氛，吸引消费者的视线，促成其购买行动。

（1）POP广告的功能起到“新产品的告知广告”作用，这就是POP广告的基本告示功能。（图8.2.1）

（2）POP广告吸引消费者的注意力，诱发消费者购买欲望，使消费者萌发购物的动机。（图8.2.2）

（3）POP广告唤起消费者的潜在意识，在丰富的商品中，辨识出需要购买的商品。（图8.2.3）

图8.2.1 POP广告（一）

图8.2.2 POP广告（二）

图8.2.3 POP广告（三）

（4）POP广告加深企业、品牌和商品在消费者心目中的良好印象。（图8.2.4）

（5）POP广告有“无声的售货员”和“最忠实的推销员”的美名，广告起到宣传商品品牌、性能、价格、特点、使用方法等作用。（图8.2.5）

（6）POP广告能配合商品季节性销售、配合企业各种展销活动。（图8.2.6）

（7）POP广告可弥补其他广告媒体的不足。（图8.2.7）

（8）POP广告起到美化和装饰商店、商场的作用，在良好的购物氛围中宣传品牌和商品。（图8.2.8）

图8.2.4　POP广告（四）

图8.2.5　POP广告（五）

图8.2.6　POP广告（六）

图8.2.7　POP广告（七）

图8.2.8　POP广告（八）

二、POP广告的特点

（1）准确传达信息。POP广告设计以商品为核心，POP广告的视觉表现、形式创造均是以传达商品信息为目的的。（图8.2.9）

（2）POP广告表现形式独特、富有个性。在传播信息的基础上，POP广告的特点是“求新”“求异”，形式新颖、与众不同。（图8.2.10）

（3）具有视觉冲击力。POP广告要在信息的海洋中脱颖而出，必须具有强有力的视觉效果，对消费者产生强烈的视觉冲击，使其注意，产生深刻印象。（图8.2.11）

（4）艺术表现形式强。POP广告设计艺术表现形式丰富多样，从平面的到立体的、从静态的到动态的、从具象的到抽象的以及象征、联想、夸张等方法的运用。POP广告艺术地将商业信息表达出来，从而实现最终的销售目的。（图8.2.12）

图8.2.9　POP广告（九）

图8.2.10　POP广告（十）

图8.2.11　POP广告（十一）

图8.2.12　POP广告（十二）

第三节　POP广告的类型

一、POP广告的分类

POP广告常见的分类是按使用场所和机能以及按其广告结构形式分类。

（一）按使用场所和机能两方面结合分类

（1）悬置（吊挂）POP广告：通常在柜台或展台上面、商场空间、货架上方、店面门口，根据POP广告设计需要进行悬置。大多为两面、四面或多面立体式形式。可单体悬挂，也可组合悬挂。（图8.3.1）

（2）柜台式POP广告：柜台陈列式POP广告，是放置于销售柜台上面或商品货架台上、超市大型商品上的小型广告。（图8.3.2）

（3）立地式POP广告：可设置在超市、商场的商品旁或出入口、商店内外、通道旁边的地面上。其尺寸大小设置与人的高度相仿为宜。通常有以下几种形式：商品展示POP、销售台POP、可供顾客翻阅宣传样本的陈列架POP等。（图8.3.3）

图8.3.1　悬挂式POP广告

图8.3.2　柜台式POP广告

图8.3.3　立地式POP广告

（4）动态POP广告：置于超市、商场较醒目的地方。动态POP广告具有吸引消费者注意的功效，充满乐趣和新奇感。（图8.3.4至图8.3.5）

（5）贴纸POP广告：凡能粘贴于门窗、墙壁、柱廊和各类商品上的具有广告媒介作用的印刷品等，都属于此类广告。（图8.3.6）

（6）光源POP广告：一般放置于店头、店门口、橱窗内，或用于装饰背景墙等。（图8.3.7）

图8.3.4　动态POP广告（一）

图8.3.5　动态POP广告（二）

图8.3.6　贴纸POP广告

图8.3.7　光源POP广告

（7）与商品结合式POP广告：设置于商品周围的小型广告，或与商品结合于一体的广告。（图8.3.8）

（8）橱窗POP广告：将商品、品牌采用艺术形式在橱窗陈列出来，具有强烈的艺术装饰效果和商品信息传达功效。（图8.3.9）

图8.3.8　与商品结合式POP广告

图8.3.9　橱窗POP广告

（二）按广告的结构形式分类

（1）座架形式POP广告：其构成与柜台式POP广告相同，是一个小型的商品陈列架。

（2）附有立牌广告座架形式的POP广告：在座架造型的基础上，利用小型背景或其他方位适当进行有关商品的图形、文字和色彩设计展示。

（3）吊挂与座架相结合形式POP广告：采用组合的形式可获得新的信息传达功效。

（4）支架形式POP广告：突出表现便捷特点，利用其材料结构的设计，创造更强的空间感。

（5）卡套形式POP广告：采用折纸的形式将商品卡套其中，并附有简明的文字或图形设计。

（6）多种形式整合的POP形式：如充气形式的户外POP广告、静态和动态大型展示的POP广告、招贴画广告、传单广告以及广告牌、霓虹灯广告、灯箱广告等。

第四节　POP广告设计

作为商品的“现场推销员”，POP广告与其他广告形式相比最显著的特点是：在消费者与商品之间，以最近的距离传播商品信息。

一、POP广告设计要求

（一）设计表达真切

POP广告设计要从整体广告策略考虑，从商品的性质和消费者的心理出发，有针对性地传播销售现场的商品信息，以真切的内容打动消费者。（图8.4.1）

（二）设计形象简明突出

POP广告置身于琳琅满目、五彩缤纷的商品中间，所占用的面积不大，空间容量有限。消费者在购买点逗留的时间也较为短促，所以，POP广告设计形象要简明突出、富有较强的视觉传达功效，才能吸引消费者注意。（图8.4.2）

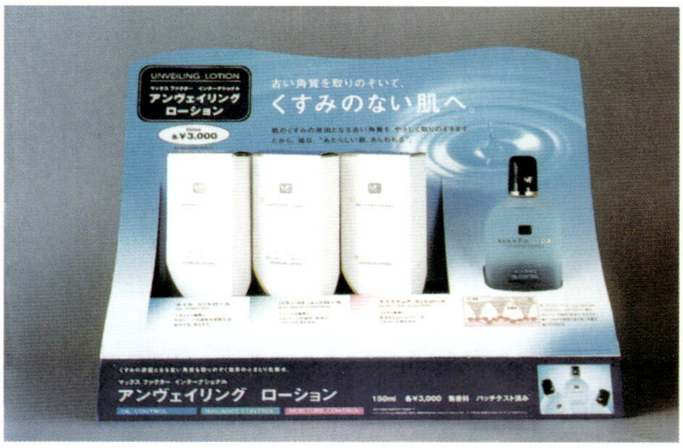

图8.4.1　橱窗POP广告

图8.4.2　突出商品品牌的POP广告

（三）表现形式多样、总体协调

POP广告设计的表现形式体现为售卖场所商品与广告的有机组成。因此，POP广告表现形式要与购买点的特色相协调，在设计表现上，应加强与商店总体形象的协调，确定相应的形式和内容，使之既能与环境融为一体，又能引人注目。（图8.4.3）

二、POP广告设计元素

POP广告的构成元素包括品牌、牌名、商品形象、图形、字体、色彩、广告语、说明文、图表、图例、文案等。

（一）POP广告图形

（1）具象图形，通常以摄影图片和绘画的形式来表现。具象图形以直观的形象去表现商品的形象特征与内容，具有可信赖的真实感。

（2）抽象图形，抽象图形是以点、线、面等几何图形构成的图形，在POP广告设计中形式化、抽象化地表现商品的特性。

（3）装饰图形，用装饰的手法表现商品，采用归纳、

图8.4.3　与环境融为一体的POP广告

添加、简化等手法进行图案性的表现，使POP广告产生较强的视觉吸引力。

（4）漫画图形，运用幽默、夸张的漫画表现手法，给消费者一种亲切感，使消费者喜爱并增加对商品的兴趣。

（二）POP广告色彩

（1）运用商品色彩的主题，突出商品的视觉效果，强化对比作用和协调作用，通过商品色彩之间的对比、背景和商品之间的反衬烘托，使POP广告获得良好视觉效果与心理效果。

（2）增强视觉的引导作用。POP广告色彩传达在整个商业环境中起到了良好的指示性与诱导性作用。

（3）POP广告色彩表现特定的品牌特征、特定的产品视觉心理诉求，以及产品特别的情调与氛围。

（4）美化和审美作用。根据品牌特点的要求，POP色彩表达上采用对比或统一、和谐的色调，运用富有韵律感、节奏感的色彩组合序列，达到美的设计，体现美的环境。

（三）POP广告的文案

POP广告的文字主要包括主标题、副标题、说明文字等，也就是我们常说的文案。但这些文字内容不是所有的POP都需要，可根据不同的POP广告类型（如台式POP、挂旗POP、货架POP、陈列架POP、贴纸POP、平面POP等）进行重点选择，也可分别单独运用。文案的表达要与品牌、商品广告的内容一致，文案内容不宜过多。POP广告简洁、明了的特点更重要。

（1）广告标题，POP广告标题要传达品牌或商品核心内容，标题设计要简明、醒目、清晰。标题设计时的装饰框、纹样、色彩等处理都应以不影响阅读为准则。标题的字号最大，也可以是创意字体。字体选择应与副标题及说明性文字有所区别。

（2）副标题，副标题是主标题的补充性说明文字。当主标题作为一个提示性语言符号还不能清晰完整的表达时，副标题要做必要补充，起到进一步解释说明的作用。

（3）说明文字，说明文字是商品的解释、说明性文字，将商品所要传达的信息内容详尽地传递给消费者。

三、POP广告设计创意

（一）POP广告创意的来源

POP广告创意的来源，首先依据的是商品品牌，其次是商品的内容、形象、包装、使用方法、关联的故事（美好传说）、关联的地域（风俗、文化、历史）、原材料、色彩、代言形象、象征寓意图形，与商品关联的图形（图案）、商品代表的文化内涵、由品牌和商品联想到的内容等，这些都可以是POP广告创意的来源。

创意的原则是独创性。广义上讲，创意是指一切带有创造性的、与众不同的认知和想法。创意就是绝妙的策略性主意、独特的传达方式和新颖的视觉表现形式三者完美的结合。

（1）视觉元素组合，将创意元素涉及的商品关联的故事（美好传说）、商品形象、商品包装等，与其他创意元素进行组合，就会产生一种新的组合。

（2）寻求传统、赋予新意。将传统文化中的许多艺术元素，通过现代设计的组合变形，赋予它们新的意义。在传统文化中有许多可以借鉴和运用的东西，可以为今天的设计所用。

（3）借鉴模仿、旧瓶新酒。模仿不是简单地照抄，而是依照、仿照某种风格或样式，使形式与内容有一种明确的一致性。在模仿的过程中，要对模仿的对象进行改良变化，使之与所要表达的内容趋于一致。

（4）分析研究、找到特点。对客观事物进行整体分析研究、寻找特点也是一种寻找创意的方法。在不同的成分、元素里找到一定的形式和意义，进而进行形式组合，将其综合在一起，这样往往可以找到合适的新的创意。

（二）POP广告的创意程序

POP广告创意一般包括四个阶段：

（1）信息收集阶段

创意的产生不是随便想象和杜撰出来的，它是直接经验和间接经验学习与积累的结果。首先，收集所要设计的品牌和商品的各种信息，信息资料尽量是多维度的、全面的、清晰准确的，最好包含能引发创意联想的素材；其次就是准备其他方面的资料，如国内外刊物、书籍、专业方面的有关资料、杂志、网络设计作品等，以及收集具有民族特色的素材及日常生活中流行的各种素材等。

（2）构思阶段

在创意的构思阶段，常采用发散思维、逆向思维的方法。①发散思维，又称多向思维，是根据确定或限定的某些因素进行多个方向的思考，设想出不同构思方案的思维方式。②逆向思维，又称反向思维，是人们打破常规思维而进行的逆向思考方式。

（3）确定主题阶段

确定主题，即是确定创作主题。主题决定了内容与形式的表现关系。主题是内容，是设计师创作的思想中心和基本立意。主题同时决定着设计表现形式，主题通过造型、材料、色彩、文字等形态要素具体表现。主题对形象、形态的构成和POP广告设计风格的形成起着主导作用。

（4）创意完成阶段

创意主题确定后，围绕主题对构想的各种思路、线索进行选定，把所有信息综合起来，继续深化创意、完成创意，从下面的问题思考：

①POP广告形象构成的完整性。对于单独的POP广告来说，形象的完整性即是要求从形象的整体上去把握。而对于系列POP广告作品而言，主要把握好系列中个体的完整性及整体组合的统一性，既要体现组合的共性，表现整体感，又要反映出个性特征，避免出现支离破碎感、拼凑感和不协调感。

②POP广告设计结构的合理性。任何一件立体POP广告创意作品，都需要经过不同形状结构和物质材料的组合才能构成。结构是否合理将关系到创作能否实现。

③POP广告工艺制作的可行性。POP广告制作需要各种材料和加工工艺才能完成，加工工艺的复杂程度和难度影响着POP广告的设计完成。

④POP广告材料的适应性。在POP广告设计创意中，能够用于创作的材料很多，这些材料因材质、性能、质感、肌理等不同而表现出不同的视觉效果，在设计中需仔细斟酌挑选，力求使材料能准确表达主题，创造良好的效果。也可以通过特殊材料、特殊工艺、特殊技术实现设计目的。

第五节 POP广告表现方法与表现形式

一、POP广告表现方法

（一）直接展示法

这是一种最常见的、运用十分广泛的表现手法。它将某产品或主题直接如实地展示在POP广告版面上，充分运用摄影或绘画等技巧的写实表现能力。

（二）突出特征法

运用各种方式，抓住和强调产品或主题本身与众不同的特征，并把它鲜明地表现出来，将这些特征置于POP广告画面的主要视觉部位或加以烘托处理。

（三）对比衬托法

对比是一种趋向于对立冲突的艺术形式中最突出的表现手法。它把作品中所描绘的事物的性质和特点放在鲜明的对照和直接对比中来表现，借彼显此，互比互衬，从对比所呈现的差别中，达到对比统一、变化集中的效果。

（四）以微见硕法

在POP广告设计中，对立体形象进行强调、取舍、浓缩，以独到的想象抓住一点或一个局部，加以集中描写或延伸放大，以更充分地表达主题思想。

（五）寓意联想法

寓意与联想可以以形象的某一环境、情节、物件、图形、人物的形态与情态，唤起消费者的种种联想，产生心灵上的某种沟通与共鸣，表现商品的某种特性。

寓意与联想也可以用抽象的方法，通过平面的、立体的、色彩的表现，来实现生活中两种完全不同的物质、完全不同的形态和情形的关联，由于内在的美相同，从而引起人们相同的心理共鸣。

（六）夸张幽默法

合理的夸张，将商品的特点和个性中美的因素明显夸大，强调事物的实质，给人以新颖奇特的心理感受。贴切的幽默，风趣的情节，把某种需要肯定的事物，无限延伸到漫画式的程度，充满情趣、引人发笑、耐人寻味。幽默可以达到出乎意料又在情理之中的艺术效果。

（七）借用比喻法

比喻法是指在设计过程中选择两个各不相同，但在某些方面又有些相似性的事物，“以此物喻彼物”，进行延伸转化、由此及彼的联想，获得“婉转曲达”的艺术效果。

（八）以情托物法

艺术的感染力最可能直接作用于人的感情方面，审美就是主体与美的对象不断交流感情产生共鸣的过程，以情感诉求方式表达是广告重要的传达方式。

（九）制造悬念法

在表现手法上制造悬念，吸引观众注意，使人对POP广告画面引发好奇感，吸引消费者的好奇心并开启积极的思维联想，引起观众进一步探明广告主题含意的强烈意愿，然后通过广告标题或正文把广告的主题点明。

二、POP广告表现形式

POP广告表现形式有悬置POP、吊旗式POP、柜台式POP、店头POP、展示卡式POP、手绘式POP、包装式POP、支架形式POP、大型台架式POP、大型商品模型式POP、充气模型式POP、橱窗式POP等。使用的材料有纸张、纸板、塑料、金属、发泡胶、木板、塑料板、纺织品等。纸制的最方便也最廉价，灵活性较大，可以视为最基本的材料，必要时其他材料也可以使用，或作为辅助性材料。

（1）POP广告主要作用是吸引消费者的注意力，招引消费者来观看，促使他们作进一步地了解。其形式有：悬空式POP、闪动式POP、吊旗式POP、彩旗形POP、吊篮形POP、珠帘形POP，以及商品模型POP等。

（2）柜台陈列式POP广告，是放在柜台上面，突出宣传商品，是广告性、装饰性较强的小型POP广告。其形式可分为两种：一种是单独展示的广告；另一种是与商品结合在一起的广告。

（3）展示陈列式POP广告，是以展示来吸引人的小型广告。这类广告不拘形式，可吊、可挂、可立、可支撑、可转动。

（4）立地陈列式POP广告，是立于地面上的POP广告，有时兼作柜台。它要求坚固耐用，多用木制、金属、塑料等材料制作。其形式有：图象式、柜台式、手推车式、货架式等。

（5）大型商品模型式POP广告，夸大商品形象形成巨大商品模型，具有强烈的视觉效果，用以吸引消费者。

（6）充气模型式POP广告，是一种非常有效的POP广告形式。充气模型式POP广告可以悬挂，可以放置地面上，表现形式丰富。

（7）包装式POP广告，是一种包装化的POP形式，形式有：大包装的展示POP式，小包装的陈列式、透明式、挂件式等。

（8）手绘式POP广告，手绘POP广告是一种快速POP形式，字体一定要醒目、清晰、容易阅读，字数不要过多。手绘式POP广告多以图文结合的形式表现，单纯用文字表达的POP广告较单调，用插图是调节的好办法，由于需要快速完成，应尽量避免过于粗糙。（图8.5.1至图8.5.17）

图8.5.1　柜台式POP（一）

图8.5.2　柜台式POP（二）

图8.5.3　柜台式POP（三）

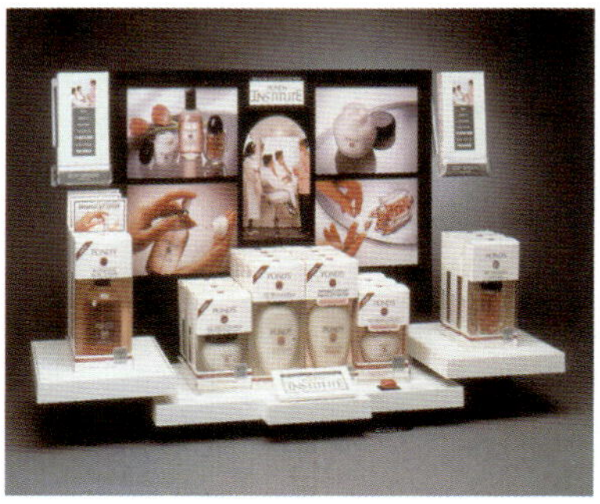
图8.5.4　柜台式POP（四）

图8.5.5　悬挂式POP（一）

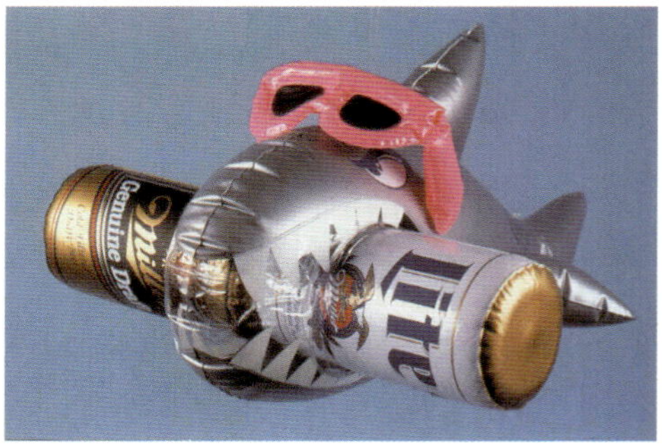

图8.5.6　悬挂式POP（二）

图8.5.7　货柜式POP（一）

图8.5.8　货柜式POP（二）

图8.5.9　货架式POP（一）

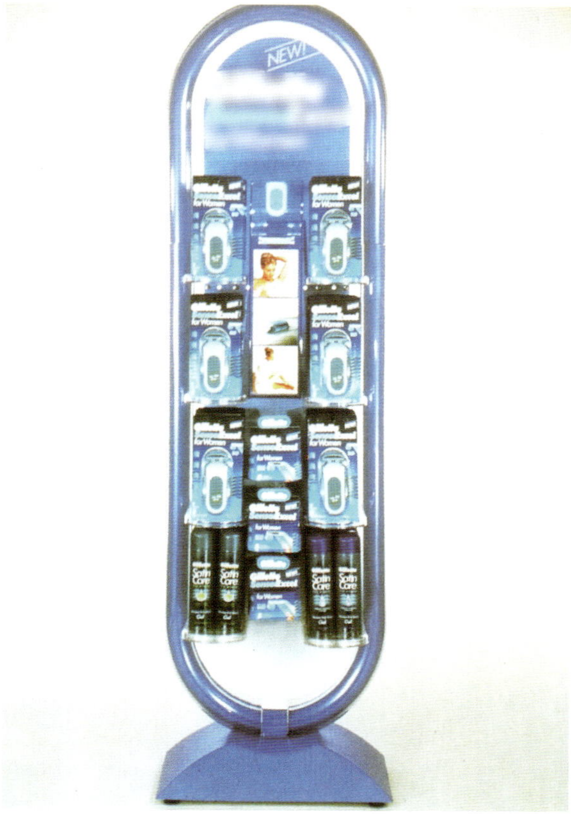

图8.5.10　货架式POP（二）

图8.5.11　与商品结合POP（一）

图8.5.12　与商品结合POP（二）

图8.5.13　与商品结合POP（三）

图8.5.14　户外大型POP

图8.5.15　店头POP

图8.5.16　门店 POP（一）

图8.5.17　门店 POP（二）

PART 9

第9章

户外广告设计

第一节 户外广告概述

户外广告是一种典型的城市广告形式，随着社会、经济、科技的发展，户外广告运用了大量的新技术、新形式，户外广告是一种既传统又创新的传播媒介，同时和现代化城市环境建设、现代商业建筑布局融合成一个重要整体。

随着科学技术的不断发展，电脑写真喷绘广告、柔性灯箱广告、霓虹灯广告、三面转体广告牌、三面翻转广告牌、多画面循环广告牌、电脑控制的彩色活动跳格电子显示屏、发光二极管显示版、电子大屏幕墙、空中激光动画、大型LED广告等新广告媒体，已成为户外广告的主流表现形式，成为现代大都市的靓丽景观。

新户外广告媒体有个共同的特点，即利用新科技使其在表现形式、视觉效果等方面更能引起观众的注意，进一步提高了信息传播的接受率。（图9.1.1）

图9.1.1　城市广告

第二节 户外广告媒体形式

一、路牌广告

路牌广告是户外广告的一种重要形式。路牌广告是在公路或交通要道两侧，利用喷绘或灯箱进行广告展示的形式。路牌广告是最为典型的的户外广告形式，也是大众传播最普及的一种形式，从其开始产生并发展到今天，技术不断进步，制作也更精美，但其媒体特征始终不变。它设立在城市繁华地区，如人流最多的商业闹市，故其所产生的传播效果非常强大。（图9.2.1）

图9.2.1　路牌广告

（一）路牌广告特点

画面醒目、图形简洁、色彩明快、文字精炼是路牌广告的重要特征。城市繁华地区，商业闹市，人流虽然众多，但看广告的时间非常短，路牌广告设计需要在1~2秒内将广告信息传达给行人，所以，简洁、醒目、清晰至关重要，让行人一看就懂成为路牌广告设计的关键。

（二）路牌广告形式

随着商业产品的快速发展，路牌广告的种类和表现形式也有了相应的发展。

（1）平面绘画形式已不能充分利用好路牌媒介。

（2）立体三面造型路牌，用自动电路控制，使路牌广告能定时翻转。这样，一块路牌的位置就可以放置三个不同的广告，扩大了媒体的功效，并且其因翻动效果更加引人注目，这种电动动态路牌广告是当今国际上流行的一种趋势。

（3）路牌被纸张和柔性材料所代替，出现了更多大型的招贴广告和灯箱广告。无论是外打灯，还是内打灯，都清晰如同白昼。内打灯为柔性材料制造并且三面旋转；外打灯也是三角三面翻转。这种大型的多画面的户外广告牌，既有动感，造型也极其精美，更具备了多种功能。

二、霓虹灯广告

霓虹灯是户外广告中灯光类广告的主要形式之一，它的媒体特点是利用新科技、新手段、新材料，在表现形式上以光、色彩、动态等特点来吸引消费者的注意，从而提高信息的接受率。霓虹灯广告一般都设置在城市的至高点、大楼屋顶或商店门面等醒目的位置。它不仅白天起到路牌广告、招牌广告的作用，夜间更以其鲜艳夺目的色彩，起到点缀城市夜景的作用。（图9.2.2）

图9.2.2　霓虹灯广告

三、灯箱广告

城市的灯箱广告、灯柱、塔柱广告、街头钟广告和候车亭广告等，都是利用灯光把灯片、招贴纸、柔性材料照亮，形成单面、双面、三面或四面的灯光广告。这种广告外形美观，画面简洁，视觉效果特别好。（图9.2.3）

户外灯箱广告的功能是白天靠自然光传播信息，夜晚靠灯光传播广告信息，这是灯箱广告传播信息的主要形式。

图9.2.3　灯箱广告

四、LED广告

LED广告是一种新媒体广告形式，是新媒体技术与户外广告发布形式的完美结合。LED广告就是利用发光二极管拼成的广告字样或者图片形式进行信息传达，例如我们常在大街上看到的电子大屏幕广告或是一些路边有带彩光的高亮的广告字样和招牌。LED（Light-Emitting-Diode，发光二极管）是一种能够将电能转化为可见光的半导体，它改变了白炽灯钨丝发光与节能灯三基色粉发光的原理，采用了电场发光。LED显示屏（LED Panel）是一种通过控制半导体发光二极管的显示方式，来显示文字、影像的显示屏幕。LED显示屏主要包括图文显示屏与全彩显示屏。图文屏通常用于播出文字，全彩屏则可以播放文字信息和视频影像。（图9.2.4）

图9.2.4　LED广告

在视觉文化时代，各种媒体一起影响着大众文化的发展进程。LED广告这种新媒体广告形式在传播理念、传播方式和传播内容上都表现出一些明显的时代特征。

五、公共交通广告

公共交通类广告中，车、船广告是户外广告使用比较多的一种媒体形式，其传递信息的作用不容忽视。广告主可以借助这类户外广告向公众反复传递信息，因此它是一种高频率的流动广告媒介，特别是公共交通车辆往返于市中心的主要街道，广告信息传播覆盖面广、受众多，广告效果尤其明显。站牌广告（Bus Stop Pillar Advertising）是指在车辆停靠站站牌上的广告。人们在候车时往往要注意站名，一般就能留意到广告。站牌广告是成功开发的户外广告形式的一种，该站牌全部安装在市区主要线路的各大站点，站牌的展示，一方面是乘客乘车的向导与指南；另一方面为发布广告宣传提供了重要位置。航空、铁路、地铁等作为现代化和特殊的交通类广告载体，兼有普通户外交通媒体与室内POP、灯箱媒体的传播特性，其优势也是非常明显的。（图9.2.5）

图9.2.5　车体广告

六、楼体广告

楼体广告是城市超大型广告形式。楼体广告可以利用楼体整面进行设计，可以是静态画面，也可以是光电控制的画面或电脑控制的视频画面。楼体广告把城市的夜晚装扮成为喜庆节日的样子。（图9.2.6）

图9.2.6　楼体广告

七、墙体广告

墙体广告就是利用公路两旁的墙面，用彩色防水涂料或颜料绘制成的各式各样的宣传内容，或用喷绘布或喷绘膜制成广告图案。前者叫作墙体手绘，后者叫作墙体喷绘，近似于广告塔、路牌广告。相对于其他广告形式，墙体广告以其成本低、分布广、时效持久、制作快捷、视觉效果好、利于企业开拓中低端市场等优势，深受广大企业的青睐，是最适合拓展农村市场的户外广告宣传形式。（图9.2.7）

图9.2.7　墙体广告

第三节　户外广告设计特点

户外广告设计是以品牌整体广告战略为指导进行的特殊形式的广告设计，有的户外广告是平面广告方案的移植，再根据户外广告的特点进行画面构图的创意加工，突出强调户外广告媒体的功能特点，凸显其视觉冲击力强、简洁醒目、字体大而清晰、形象突出等特点。

一、户外广告媒体的独特性

户外广告媒体传达信息的受众是行人。所以，环境因素对户外广告设计非常重要。户外广告设计要充分考虑环境、空间、距离、视角、广告面积大小等因素的影响。

行人通过可视的广告形象来接受商品信息，所以在空旷的大广场和马路的人行道上，受众在10米以外的距离，看高于头部5米的物体比较方便。所以说，设计的第一步要根据距离、视角、环境三因素来确定广告的位置、大小。常见的户外广告一般为长方形、方形、竖形。我们在设计时要根据具体环境而定，使户外广告外形与背景相协调，产生视觉美感。形状不必强求统一，可以多样化，大小也应根据实际空间的大小与环境情况而定。

二、户外广告媒体的提示性

户外广告媒体传达信息不针对特定的消费者，是无差别的信息传达。受众面广、流动性强。行人在流动中随意观看户外广告。消费者可能从其他媒体已经获取了广告商品信息，户外广告则起到提示性和强调性作用，所以户外广告设计要考虑受众经过广告的位置、时间、空间、环境等因素，要注重广告宣传时的提示性特点，强调信息传达的准确性和视觉冲击力，做到主题明确、图形简洁、语言精练、色彩明快、创意独特、使受众记忆深刻。户外广告设计要避免烦琐的画面、冗长的文字、毫无创意的视觉传达。户外广告只有出奇制胜地以简洁的画面和揭示性的创意形式引起行人注意，才能吸引受众观看广告，达到广告信息传播的目的。

三、户外广告媒体的简洁性

户外广告媒体传达信息的简洁性是户外广告设计中的一个重要原则。即使广告设计是移植整体广告战略中平面设计的风格，也要考虑适合户外广告的简洁性要求，做出一定地调整，使广告的视觉传达更简洁、更清晰、更明确。设计时要独具匠心，始终坚持少而精的原则。要知道消费者对广告宣传的注意值与画面上信息量的多少是成反比的。画面形象越繁杂，给观众的感觉越紊乱，观众获得的信息量越发减少。画面越单纯，消费者的注意值也就越高，越能增加信息量的获取，这正是户外广告简洁性特点的要求。

四、户外广告媒体的计划性

户外广告媒体传达是整体广告战略的一部分。户外广告必须同其他广告一样有其严密的计划。根据整体广告战略确定户外广告媒体策略和广告目标。广告设计应服从于广告的目的。根据户外广告的特殊性，设计者在进行广告创意时，首先要进行市场调查、分析和预测广告效果。在此基础上制订出广告设计方案。确定最佳方案后，发布广告。户外广告具有强大的影响力，不仅会在经济上起到树立品牌、促进销售的作用，同时也会起到传播价值理念的作用，故计划性不仅对商业传播具有重要作用，对社会观念也起到潜移默化的影响。所以，一定要重视信息传播的社会价值，设计者必须坚守对社会的责任，使作品积极向上，用美好的情感和理念影响人，起到广告信息传播的商业价值和社会价值的和谐统一作用。（图9.3.1至图9.3.20）

图9.3.1　户外广告（一）

图9.3.2　户外广告（二）

图9.3.3　户外广告（三）

图9.3.4　户外广告（四）

图9.3.5　户外广告（五）

图9.3.6　户外广告（六）

图9.3.7　户外广告（七）

图9.3.8　户外广告（八）

图9.3.9　户外广告（九）

图9.3.10　户外广告(十)

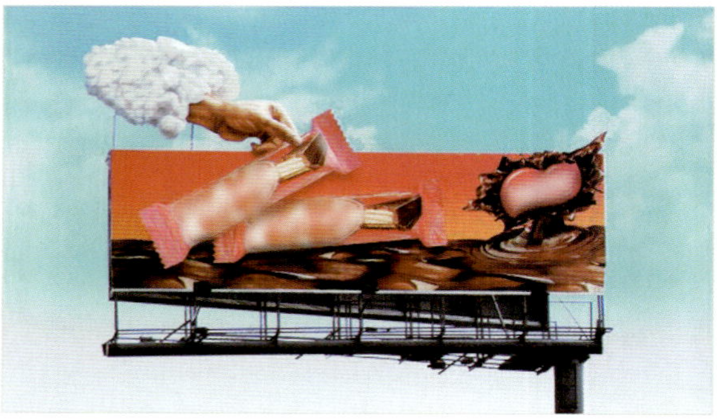

图9.3.12　户外广告（十二）

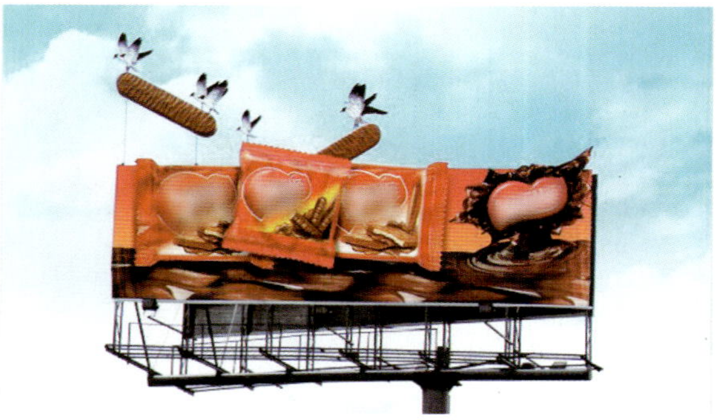

图9.3.13　户外广告（十三）

图9.3.16　户外广告（十六）

图9.3.11　户外广告（十一）

图9.3.14　户外广告（十四）

图9.3.15　户外广告（十五）

图9.3.17　户外广告（十七）

图9.3.18　户外广告（十八）

图9.3.19　户外广告（十九）

图9.3.20　户外广告（二十）

第四节 户外广告图形与文案设计

一、户外广告设计的原则

户外广告设计应遵循户外广告特点的设计原则，就是要视觉冲击力强，信息语言准确，画面简洁，构图新颖，创意表现独特，图形、文字、色彩突出，达到强烈吸引注意力的效果。

在户外广告中，图形、形象和大而突出的字体最能吸引人们的注意力，所以这三种视觉要素在户外广告设计中尤其重要。图形与形象一般与商品紧密相连，主题文字一般是品牌名或广告语，是户外广告视觉传达中最重要的信息，设计师必须加以重视。

二、户外广告图形与文案的设计

图形可分广告图形与商品图形两种形态。广告图形是指与广告主题相关的图形（人物、动物、植物、环境等，也包括品牌形象代言人）；商品图形则是指要推销和介绍的商品形象。在户外广告设计中商品形象和商品广告代言人形象是重要的视觉信息内容。确定好诉求传达是以品牌定位还是以商品定位，就决定了广告视觉的传达方向。

图形一般应放在视觉中心或主要位置，这样能有效地抓住观者视线，引导他们进一步阅读广告文案，激发共鸣。人物图形或商品图形在设计时要力求简洁醒目。户外广告除图形设计外，另一个重要的视觉信息就是文字信息。文字信息也是户外广告设计的关键，生动的文案设计可以有效地吸引观众注意，生动的文案能体现出户外广告的真实性、传播性、说服性和鼓动性的特点。

广告文案在户外广告中的地位十分显著，好的文案能起到画龙点睛的作用。它的设计完全不同于报纸、杂志等媒体的广告文案设计，因为人们在流动状态中不可能有更多的时间阅读，所以户外广告文案力求简洁有力、清晰明确，并且要极富感染力，要做到只看一眼就能引起受众的关注。

文案创意需要精练、精确、精彩。能以一句话（主题语）醒目地提醒受众，就不使用两句话来说。主题语设计一般不要超过十个字，以七八个字为佳，否则阅读效果会相对降低。除主题语外，一般文案内容还包括正文、附属文等几个部分，在广告中要尽力做到言简意赅、以一当十、惜字如金、反复推敲、易读易记、风趣幽默、有号召力等，这样才能使户外广告富有感染力和生命力。如农夫山泉作为饮用水的后起之秀，以“农夫山泉有点甜”的广告语,凭借差异化的市场定位,迅速树立起了自己在行业中的形象。雀巢咖啡“味道好极了”、麦斯威尔咖啡“滴滴香浓，意犹未尽”都是经典的广告语。

PART 10

第10章

其他广告媒体介绍

第一节 DM直投广告

一、DM直投广告概述

DM（Direct Mail）广告全称为印刷品直递广告，是通过邮件递送服务，将特定的信息直接给目标对象的各种形式的广告，也是并列于电视广告、电台广告、报纸广告、户外广告、墙体广告、公交车体广告、互联网广告、手机短信广告的又一大广告形式。它有三种主要发布渠道，即直递投入居民信箱、商务楼派发、车站地铁等地定点派发。与其他广告形式相比，DM广告拥有覆盖面广、受众群体可选择性强、广告信息传递速度快、版面及篇幅灵活、传阅率高、滞留时间长、广告成本低等诸多优点，在产品推介、信息传递、品牌提升方面越来越显示出强大的生命力。DM广告也属于平面印刷广告设计范围。

DM广告形式特别适合于商场、超市、商业连锁店、餐饮连锁店、各种专卖店、电视购物、网上购物、电话购物等各类实体卖场和虚拟卖场，也非常适合于其他行业相关产品的市场推广。其在欧美发展十分迅猛，是仅次于报纸、电视的第三大媒体。在美国，DM广告总量占全国广告总量的20%左右。中国DM广告市场目前只占广告市场比较少的份额。

时至今日，DM广告杂志的发展进入到前所未有的阶段，许多DM广告杂志实质上都成了一种没有刊号的公开发行的高档杂志，只是两者的发行渠道不同。DM的精美印制也是许多公开发行的杂志所不能比拟的，它的内容奇妙地抓住了读者和商业客户的心理，成为受众生活中必不可少的一种时尚体验，让客户的商品或品牌信息通过DM广告大放光彩，让受众在轻松的阅读中体验一种愉悦与浪漫、舒适与高雅的美好感觉。

DM广告最突出的两个特点：直投专送，内容全是广告，是媒体在市场上实现买与送的最大区别，即变被动为主动。传统媒体的弱点在于用渠道方式来“选择”读者，如大众媒体、专业媒体、行业媒体。实际效果对于媒体来说仍是被动地让读者来选择。但DM不同，它是免费赠送，主动出击，主动送到读者手里的，而正因为是直接投递，所以可以准确地选择读者，规范其独有的渠道。

一本全是广告的杂志本来不足以吸引那些想要阅读新闻以获得全面信息的读者，但是一本注重介绍消费品信息的广告杂志却足以吸引想要寻求消费信息的购买者，故其广告命中率高，媒体控制的人群的质量也就随之增高。因此，在广告已经成为媒体主要收入来源的今天，DM广告媒体以渠道确定精确的读者人群，对于广告客户产生了巨大的吸引力。

二、DM广告的内容

（一）DM广告的内容和形式

（1）优惠赠券。当开展促销活动时，为吸引广大消费者参加而附有优惠条件和措施的赠券。

（2）样品目录。零售企业可将经营的各类商品的样品、照片、商标或商品内容详尽地进行介绍。

（3）单张海报。企业精心设计和印制的宣传企业形象、商品、劳务等内容的单张海报。

（二）DM广告的传递方式

（1）报刊夹页。与报社、杂志编辑或当地邮局合作，将企业广告作为报刊的夹页随报刊投递到读者手中。这种方式现在已为不少企业所应用。

（2）根据顾客名录通过信件寄送。多适用于大宗商品买卖。如从厂家到零售商，或从批发商到零售商。

（3）雇佣人员派送。企业雇佣人员，按要求直接向潜在的目标顾客本人或其住宅、单位派送DM杂志。

由于直投广告直接将广告信息传递给真正的受众，具有强烈的选择性和针对性，其他媒介只能将广告信息笼统地传递给所有受众，而不管受众是否是广告信息的目标对象。

不同于报纸杂志广告，直投广告的广告主可以根据自身具体情况来任意选择版面大小，并自行确定广告信息的长短及选择全色或单色的印刷形式。

直投广告是一种深入的非轰动性广告，不易引起竞争对手的察觉和重视。DM广告已被大部分企业作为商务活动的首选措施，其低廉的成本及极强的针对性、亲切感和真实性，受到企业经营者的青睐。随着时间的推移，DM媒体地位会逐渐提升，其在社会中将继续发挥不可替代的作用，与其他广告媒体共同形成一个多层次、多方位、多传播渠道的立体网络。

三、DM直投广告的特点

（一）发行特点

DM直投广告，它区别于传统期刊的优势可能就是它的发行方式——免费赠阅。这种发行方式在期刊的运作上，其实是带着另一种优势的，就是你的杂志可以没有选择障碍地进入读者手里。因为是免费赠阅，所以在内容策划或封面设计上，DM可以比传统期刊的特色要求简单得多。

（二）传播目标

DM广告不同于其他传统广告媒体，它可以有针对性地选择目标对象，有的放矢，减少浪费，是对事先选定的对象直接实施的广告推广。客户或接受者容易产生面对其他传统媒体无法比拟的优越感，使其更自主关注所宣传的产品。一对一地直接发送，可以减少信息传递过程中的客观挥发，使广告效果达到最大化。

（三）专业性

DM广告读者对象明确，也相对比较集中和稳定，因此采用点对点的定向发行手段更加有效。这也是DM广告的特点，并不追求发行的绝对数量，而是追求发行的有效性。随着印刷越来越精美，印制和发行成本往往会变得比较高，找到广告与发行的最佳平衡点，使效益最大化也显得至关重要。

（四）广告形式

DM直投广告的形式和内容高度统一，受阅率提高，读者就是商品信息的接受者，直投广告这种形式丰富了媒体的层次，起到引导消费的作用。广告命中率极高的DM媒体将对广告主产生巨大的吸引力。

四、DM直投广告的设计

DM广告设计属于平面印刷广告设计范围。其设计构思方法、构图方法、色彩调用方法、表现方法与平面印刷广告设计相同。

印成单张散发的广告宣传品，设计上要注意下列因素：

（1）商品要素的视觉效果和传达效果，如图像特效、字体、色彩等。

（2）进一步精确调整版式，即调整各要素之间的相应位置，直到满意。

（3）以广告主题来吸引受众。设计要色彩鲜艳，文字要重点突出。

DM广告传单传播方式很多，比如邮寄、上街派发、一对一派发、自取等。随着网络的发展，电子广告传单已逐渐走进生活，DM直投广告将直接发送到用户的手机客户端上，这样便有效节约了成本资源，借用网络平台的DM直投广告将有更大的发展。（图10.1.1至图10.1.4）

图10.1.1　DM直投广告（一）

图10.1.2　DM直投广告（二）

图10.1.3　DM直投广告（三）

图10.1.4　DM直投广告（四）

第二节 互联网广告

一、互联网广告概述

互联网广告是通过网络平台投放的广告，如利用网站上的广告横幅、文本链接、多媒体的方法，在互联网刊登或发布广告，是通过网络传递到互联网用户的一种科技广告运作方式。

互联网是一个全新的广告媒体，互联网广告具有得天独厚的优势，是实施现代营销、广告宣传媒体战略的重要部分。

二、互联网广告优势和价值

通过互联网可以追踪、研究用户的偏好，与传统媒体相比，这几乎是互联网的天然优势，也是其精准广告的基础，使得广告的投放不再千篇一律。

互联网广告的优势和价值体现在：(1) 品牌推广。网络广告最主要的功能，就是提升企业品牌价值。在所有的网络营销方法中，网络广告的品牌推广价值最为显著。同时，网络广告丰富的表现手段也为更好地展示产品信息和企业形象提供了必要条件。(2) 促进商品销售。网络广告对于销售的促进作用不仅表现在直接的在线销售，也表现在通过互联网获取产品信息后对线下销售的促进。(3) 企业、商品的信息发布。网络广告是向用户传递信息的一种手段，通过网络广告投放，可以将信息发布在自己的网站上，也可以发布在其他的网站，或者直接通过电子邮件发送给目标用户。(4) 在线调研。网络广告对于在线调研的价值可以表现在多个方面，如对消费者行为的研究、对于在线调查问卷的推广、对于各种网络广告形式和广告效果的测试、了解用户对于新产品的看法等，这大大提高了市场调查的效率。

三、互联网广告分类

从广告形式上来看，互联网广告可以分为：搜索广告、展示类广告、分类广告、引导广告、电子邮件广告五大类。

互联网广告的具体表现形式有：(1)横幅广告(包含Banner、Button、通栏、竖边、巨幅等)。该广告把GIF、JPG、Flash等格式的图像文件，定位在网页中，用来表现广告内容，同时还可使用Java等语言使其产生交互性，用Shock Wave等插件工具增强其表现力。(2) 文本链接广告。文本链接广告是以一排文字作为一个广告，点击可以进入相应的广告页面。这是一种对浏览者干扰最少，但却较为有效的网络广告形式。有时候，最简单的广告形式效果却最好。(3) 电子邮件广告。电子邮件广告具有针对性强、费用低廉的特点。广告内容不受限制，可以针对具体个人发送特定的广告。（4）赞助式广告。赞助式广告一般有三种形式，内容赞助、栏目赞助、节日赞助。广告主可选择感兴趣的内容或栏目赞助。（5）有奖竞赛和促销广告。广告主可以和网站合作举办他们认为感兴趣的网上有奖竞赛和网上促销活动。（6）插播式广告（弹出式广告），在登录网页时强制插入一个广告页面或弹出广告窗口。它们有点类似电视广告，都是打断正常节目的播放，强迫观看。插播式广告有各种尺寸，有全屏的也有小窗口的，而且互动的程度也不同，从静态的广告到全部动态的广告都有。浏览者可以通过关闭窗口不看广告（电视广告是无法做到的）。（7）富媒体广告（Rich Media）。一般指使用浏览器插件或其他脚本语言、Java语言等编写的具有复杂视觉效果和交互功能的网络广告。这些效果的使用是否有效，一方面取决于站点的服务器端设置，另一方面取决于访问者浏览器是否能查看。一般来说，富媒体（Rich Media）能表现更多、更精彩的广告内容。（8）其他新型广告。如视频广告、路演广告、巨幅连播广告、翻页广告、祝贺广告、论坛版块广告等。（9）直投广告。通过相关软件或系统向目标客户，定向投放对方感兴趣或者是需要的广告及促销内容，以及派发礼品、调查问卷，获得目标客户的反馈信息等。（10）定向广告。可按照人口统计特征，针对指定年龄、性别、浏览习惯等的受众投放广告，为客户找到准确的受众群。（图10.2.1至图10.2.4）

图10.2.1　互联网广告（一）

图10.2.2　互联网广告（二）

图 10.2.3　互联网广告（三）

图 10.2.4　互联网广告（四）

四、互联网广告投放策略

互联网广告投放，一是确定目标市场，如企业服务的顾客是哪一类、在什么地方、市场规模有多大、顾客有什么需求等问题。传统广告发展至今，已经形成了一套固有的体系，而互联网广告这一新的广告方式，发展得还不很充分。强制和冒犯广告只会让受众更加反感，尤其是互联网广告。互联网侵犯广告（强制广告、强制注册、弹出页广告）使得一些企业收到适得其反的效果。在尊重用户的前提下，更好地通过传播广告所展示的创意来吸引用户，从而让用户付诸购买行动，最终使企业受益，这应该是企业和广告人的一个重要理念。纸质媒体具有特殊的权威性，电视广播媒体具有特殊的说服力，但互联网给人的信服程度远不如其他媒介，尤其是在网站种类繁多、难辨真假的情况下，这也是互联网广告投放的一大劣势。

五、互联网广告创意策划

互联网广告创意策划直接决定网络品牌推广的效果。经验丰富的专业品牌管理、策划及创意团队很重要，能够协助企业塑造品牌形象。提高品牌知名度、美誉度，建立品牌的差异化特征，显得至关重要。在广告创意方面，对下述要素须尤为关注：（1）网络公关。在传统公共理论和实践基础上，依托互联网的数字化、交互式传播媒介和社会化媒介平台的特性，网络公关建立和完成信息传播、关系协调以及形象管理等行为。（2）微博推广。微博作为企业信息分享、品牌传播、获取和影响消费意见的快速综合平台，帮助企业与客户进行实时沟通、深度交流，让企业的目标客户在互动中了解、接受和信任品牌服务及产品信息。（3）舆情分析。通过对全网信息进行广泛、迅速地监测分析，帮助企业及时掌握相关的网络热点，了解消费者的意见反馈，为企业的市场决策和产品升级，提供最真实的市场分析数据及报告。

参考文献

[1] 王受之. 世界现代设计史 [M]. 北京：中国青年出版社，2020.

[2] 马利奥·普利肯. 顶尖视觉创意　广告、动画及数字化设计的新锐理念 [M]. 夏赛辉，译. 长沙：湖南美术出版社，2005.

[3] 曾振华，胡国华，黄清华. 广告学原理 [M]. 广州：暨南大学出版社，2006.

[4] 克劳德·霍普金斯. 科学的广告+我的广告生涯 [M]. 邱凯生，译. 北京：华文出版社，2010.

[5] 威廉·阿伦斯. 当代广告学 [M]. 丁俊杰，等译. 7 版. 北京：华夏出版社，2001.

[6] 托马斯· C. 奥吉恩. 广告学 [M]. 程坪，张树庭，译. 2 版. 北京：机械工业出版社，2002.

[7] 朱利安·西沃卡. 肥皂剧、性和香烟　美国广告200年经典范例 [M]. 周向民，田力男，译. 北京：光明日报出版社，1999.

[8] 大卫·奥格威. 一个广告人的自白 [M]. 林桦，译. 北京：中国物价出版社，2003.

[9] 尹定邦. 设计学概论 [M]. 长沙：湖南科学技术出版社，1999.

[10] 侯立平，郑建鹏. 现代广告设计概论 [M]. 北京：首都经济贸易大学出版社，2009.